£1.60
S

Anthologie de Contes et Nouvelles Modernes

METHUEN'S TWENTIETH CENTURY
FRENCH TEXTS
General Editor: W. J. Strachan, M.A. (Cantab.)

METHUEN'S TWENTIETH CENTURY TEXTS

Anthologie de Contes et Nouvelles Modernes

*a selection with introductions
and notes by*
D. J. CONLON

Methuen Educational Limited
LONDON · TORONTO · SYDNEY · WELLINGTON

First published 1968
Reprinted 1969
Reprinted 1971
Reprinted 1973
© *1968 D. J. Conlon*
Printed in Great Britain by
Butler & Tanner Ltd
Frome and London
SBN 423 79030 7

Contents

Introduction

The history of the French short story can be traced back to medieval times to the short and at times extremely racy tales known as *fabliaux*, and to the collections of stories linked by some narrative which are referred to as *romans à tiroirs*. The *fabliaux* were of Norman origin, but the *roman à tiroirs* seems to have come from the East where such works as the *Thousand and One Nights* were very popular. The introduction of this eastern literary form into northern Europe was largely due to the influence of Boccacio's *Decameron* (1352) which was widely imitated, notably by Geoffrey Chaucer in his *Canterbury Tales* (*c.* 1390), and also by Marguerite d'Angoulême in her *Heptaméron* (1559). Other examples of this *genre* to find widespread favour during the late medieval period were *Le Roman des Sept Sages de Rome* and the *Gesta Romanorum*. No doubt the success of such works influenced Rabelais who adopted a somewhat similar form for *Pantagruel* (1532) and *Gargantua* (1534).

The oral tradition in folklore is probably ageless, but in the course of the seventeenth century Charles Perrault adapted stories of legendary origin and gave them a definitive form; some of his *Contes de ma mère l'Oye* (1697), such as *Le Chat botté*, *Cendrillon*, *Le Petit Chaperon rouge* and *Barbe-bleue*, are part of the nursery lore of children all over the world. Perrault's contemporary, Jean de La Fontaine, wrote in addition to his *Fables* a series of licentious tales in verse—which he later regretted, but which are interesting as showing the influence of Boccacio—and called them *Contes*. A further development of the short narrative took place at this time when Jean de La Bruyère wrote his *Caractères* (1688–1694), a series of pen-portraits of various human types; unfortunately, although they were imitated in both France and England, this proved really a rather sterile literary form which was incapable of being developed any further.

The next major exponent of short-story writing was Voltaire, who, influenced by English writers such as Defoe, Pope and Swift, satirised contemporary society in his *Lettres philosophiques* (1734), *Zadig* (1747), and *Candide* (1758). Voltaire did not, however, greatly influence the short story, and it was left to writers of the nineteenth century to develop the form which is familiar today.

Alfred de Musset reverted to the verse *conte*, Alfred de Vigny wrote *La Canne de jonc* and the other stories which make up his *Servitude et grandeur militaires*, but a contribution of greater significance was made by Prosper Merimée whose tales of raw passion and violent emotions were the forerunners of the short story as we know it today. The most famous of his works is, of course, *Carmen*, which was later to be the source of Bizet's opera. Other examples which can be cited are *Colomba* and *Mateo Falcone*, both set in Corsica against a background of revolt and the family vendetta, and also *Tamango*, the record of the voyage of a slaving-ship. Writers better known in other fields also took an interest in the short story, and we have in Théophile Gautier's *Le Pied de momie* a charmingly fantastic tale in the neo-gothic tradition so popular with Romantic writers, while Balzac's *Pierre Grassou*, *La Grande Bretèche* and *El Verdugo* display, if on a smaller canvas, the qualities found in his novels.

During the middle of the nineteenth century there was considerable influence from abroad, especially that of Gogol, Pushkin and Turgenev, and above all of Edgar Allan Poe whose grotesque stories were translated by Baudelaire. Poe's influence was to prove lasting, but it was immediately evident in the works of Baudelaire himself and in those of Auguste de Villier de l'Isle-Adam whose *Contes cruels* (1883) and other collections often reflect the same atmosphere of macabre terror. Maupassant was also to write on occasion in the same vein.

The short story was to reach the height of its popular vogue during the second half of the century, years that saw a mastery of the *genre* which will be difficult to surpass. In 1877 Flaubert published *Trois Contes*, a collection composed of *Un Coeur simple*, a touching story of a poor serving maid, *Hérodias* which was based on the events surrounding the death of John the Baptist, and *La Légende de saint Julien l'Hospitalier*, an adaptation of traditional legends developed and interpreted by the author in much the same manner as that of Anatole France in *Le Procurateur de Judée*. A close friend of the great stylist, but a very different kind of writer, was Alphonse Daudet, whose delightful chronicles of Provence, *Lettres de mon moulin* (1869), and *Contes du lundi*

(1873), stories set in the aftermath of the Franco-Prussian War, are consummate examples of the storyteller's art. Zola also wrote several stories, some of which, such as *Une Victime de la réclame,* provide quite a sharp contrast to his naturalistic novels; his *L'Attaque du moulin* is an acknowledged masterpiece. If the criterion is the number—nearly three hundred—and even quality of his stories, Guy de Maupassant is entitled to be considered among the world's great short-story writers. Maupassant's childhood was spent in Normandy, where he became familiar with the local peasants and fisherfolk whose dialect he acquired together with a deep insight into their shrewd, stark outlook on life. Service for a brief period during the Franco-Prussian War of 1870 enabled him to observe some of the more ignoble aspects of human nature, and he also came to understand the bureaucratic and *petit-bourgeois* mind as a result of his work as a civil-service clerk in Paris after 1871. Between 1871 and 1880 he served a severe literary apprenticeship under the guidance of Flaubert, a childhood friend of his mother. During this period, Flaubert introduced him into literary circles frequented by Zola, Huysmans, Daudet and Edmond de Goncourt. His first story, *Boule de suif,* appeared in 1880 in *Les Soirées de Médan* and had such success that he was able to resign his post in the *Ministère de l'instruction publique* and to devote himself to his writing. Unfortunately, by 1885 he had begun to suffer from extreme nervousness and loss of vision due to venereal disease contracted in the course of his military service; this condition was aggravated by the use of drugs, and he became increasingly preoccupied with the supernatural, a tendency which appears in *Le Horla, Qui sait?* and *Sur l'eau.* He later suffered from hallucinations, attempted suicide and, after a complete mental breakdown, ended his days in an asylum.

In general, Maupassant avoided the purely psychological story, tending to choose extrovert characters devoid of any nuances in their nature. His stories have few pretensions: he chooses simple subjects, avoids prolonged description, states his premises in the first few lines and then develops them to a logical, if sometimes ironical, conclusion. His work has a speed and economy similar to that of a caricaturist. The main outlines are sketched in a few well-chosen phrases, the atmosphere is evoked by careful use of significant detail, and finally the action hurries along to close with an abruptness that tends to take the reader by surprise. Perhaps Maupassant is open to an accusation of over-using the convention of the narrator who is alleged to be telling the story, but if this technique, the greatest vice of all short-story writers, can be accepted or ignored, it will be found that he presents an unsurpassed picture of the realities of life. In fact, his influence has been enormous, both in France and elsewhere, and it would not be an exaggeration to say that subsequent short-story writers have either imitated him, perhaps unconsciously, or reacted against him. Certainly none of the writers in the present collection have escaped this influence, and in England Conrad, Somerset Maugham, Katherine Mansfield and H. E. Bates all owe him much; one is tempted to add Henry James's *Turn of the Screw* to this list, although this magnificent story is really a short novel. The very greatness of Maupassant has given rise in recent years to the fear that the quality and quantity of stories was declining, and that in France the short story was perishing as a literary form. There is some justification for this view, since it is true that few modern writers devote themselves entirely to the composition of short stories; nor in point of fact did Maupassant himself. Fortunately, however, there has been no lack of first-rate short stories from the French writers who have succeeded him. Many literary forms have waxed and waned in popular esteem, but the short narrative has always endured, and the best stories of all ages continue to interest and to give pleasure to the contemporary reader.

In English the term 'short story' may be used to signify any kind of short composition, but in French there are several words which, although often used loosely as synonyms, describe distinct types of story. Perhaps the term in most general use is the *conte* – '*récit court d'aventures imaginaires*', a fictitious or semi-fictitious account written with great economy, but capable of being subjected to many different treatments. The latter include the folk legends retold by Perrault, La Fontaine's ribald tales in verse, Voltaire's satirical short novels, and the impeccably stylish stories of Flaubert. Stories in the present selection which readily fall into this classification are Giono's *Solitude de la pitié*, Anatole France's *Le Procurateur de Judée*, Marceau's *Le Timbre-poste* and Perret's *La Mouche*. It is more difficult to be dogmatic about Ionesco's *La Photo du colonel* and Anouilh's *Histoire de M. Mauvette et de la fin du monde*; the former is obviously a fantasy, but one is left with a feeling that the whole situation is horribly and inescapably true, and the latter delves into man's continuing fascination with the dimension of time, a theme used in H. G. Wells's *The Time Machine* and in many contemporary science-fiction stories. Anouilh himself classes his tale as a *nouvelle*, and it would be presumptuous to take issue with him; this story and Ionesco's piece are illustrations of the overlap that must inevitably arise in any attempt at classification.

The term *nouvelle*, derived from the Italian *novella*, originally described the strangely mixed tales to be found in the *romans à tiroirs*. It is now defined as a '*récit appartenant au genre du roman, dont il se distingue par le brièveté, la sobriété et la simplicité du sujet*'. Such a narrative deals with credible events in a realistic or analytical way; more emphasis is given to the presentation of characters and to descriptive detail than is usual in a *conte*. It is a common belief that a *nouvelle* is longer than a *conte*, but, although this may in general seem to be correct, it is possible to find long *contes* and short *nouvelles*. Stories such as Hervé Bazin's *Le Bureau des mariages* and Sartre's *Le Mur* can be classified as *nouvelles*.

A further type of narrative is the *récit* – '*relation, compte rendu oral ou écrit d'un événement*' – generally related in the first person by a participant in the story or by an eye-witness to the action. It is a straightforward account giving one person's impressions or else describing his reactions to certain happenings. Three stories that will be found to be in this category are Camus' *Les Muets*, Duhamel's *Histoire de Carré et de Lerondeau*, and Mauriac's *Conte de Noël*. There remain the *épisode* and the *anecdote* – '*récit succinct d'un fait piquant curieux, ou peu connu*'; the former depending entirely on the evocation of atmosphere, the latter appealing to the inquisitive or humorous instincts and usually relying on an extremely short narrative and an ingenious or farcical ending. The cold, impersonal, almost photographic description of Robbe-Grillet's *Trois visions réfléchies* and, to some extent, the terrifying atmosphere of the illogical world found in Ionesco's *La Photo du colonel* are attempts to make the reader look afresh at the world around him and to rekindle a response which has grown stale due to over-familiarity. In the example we give of Robbe-Grillet's work, no more than an *épisode*, atmosphere is of paramount importance. The scope of Ionesco's story, on the other hand, is such that it can only be said to depend on the technique of the *épisode* for its background. Prévert's *Le Dromadaire mécontent* is, however, a perfect example of an *anecdote*; despite its apparent triviality and its light-hearted appeal, it manages to comment on human folly.

The terms mentioned cover the vast majority of short stories, but certain writers have wished to express their rejection of established forms either by inventing new forms or by calling their work by new names. Certainly André Gide contrived to do so, and *sotie* – a term applied to a dramatic *genre* of the fourteenth and fifteenth centuries – is at any rate an individual way of describing his introspective and largely autobiographical accounts.

Various topics lend themselves to treatment in a short story, but one of the most popular is the supernatural, which has inspired many fantastic tales varying from the gothic horror in some of Poe's stories to the subtle study of the uncanny in Maupassant's *Le Horla*. The great interest in this type of subject during the nineteenth century was due to a tendency to decadence inherent in late Romanticism. Horror stories of more than passing interest, such as Mary Shelley's *Frankenstein*, Bram Stoker's *Dracula*, Robert Louis Stevenson's *The Strange Case of Dr Jekyll and Mr Hyde*, and Oscar Wilde's *The Portrait of Dorian Gray*, owe their success and survival to the tragic situation in which the main character is involved, far-fetched though it may be. Jean Anouilh's story is also tragic, for M. Mauvette is the victim of a weird joke played on him by time. If the events of the story had happened in their normal sequence, he would have suffered a terrible misfortune, but the inter-play and displacement of different 'time zones' make him first of all face an inexplicable puzzle, and then give him a foreknowledge which causes fundamental changes in his character; it is in these changes that the tragedy lies. Anouilh has managed to present his story without undue exaggeration which might have made the predicament of M. Mauvette ridiculous. This is no mean achievement, for the dividing line between terror and laughter is a very narrow one, as may be easily noticed in audience reaction to the poorer horror films.

By contrast, other tales have an aesthetic appeal, making subtle comment on human nature after the manner of the majority of Maupassant's stories. Hervé Bazin's *Le Bureau des mariages* and Giono's *Solitude de la pitié* are examples of this kind, investigating the variety and un-expectedness of human behaviour, and leaving the reader to draw his own conclusions. There is also the intellectual approach adopted by writers like Anatole France. In *Le Procurateur de Judée* one can almost feel his satisfaction at his own ability to marshal the classical and biblical allusions which create the background for his story, but the whole story is really a skilfully presented charade intended to lead up to Pilate's inability to remember the miracle-worker from Galilee. In fact, this story derives its whole point from its conclusion, which reminds us of the humble beginnings of Christianity; like Ionesco and Robbe-Grillet, Anatole France invites us to re-appraise facts which should be well known but which are all too often overlooked. When *Le Procurateur de Judée* was first published, the truth contained in the conclusion was unpalatable to many, and it could then be classed as a *conte désobligeant*, a story incorporating some disagreeable truth; this is no longer so today.

Finally, there is the story which turns on some psychological factor or else is concerned with an analysis of the reactions of various people in an extreme situation. Sartre's *Le Mur* is an excellent example of the latter, although he intends it as a popularisation of the existential philosophy now inseparable from his name. The picture which Sartre draws of men awaiting their turn to face the firing-squad has all the marks of authenticity, and he spares little detail in his attempts to achieve realism. Perhaps the story's only fault is the rather obvious ending, but no doubt Sartre intended it to underline the absurdity of life.

Of course, it will be found that many stories combine aspects of every possible type of classification, and that certain stories seem to defy all attempts to classify them. Indeed, this may well be a mark of their excellence.

It is relatively easy to entertain a reader for a short time, but any good short story should have a permanent appeal. This may rest on the expression of views on mankind and society at large, on an evocation of the past or on the setting down of memories of childhood in all their freshness as in Mauriac's *Conte de Noël*, or even on a writer's ability to capture the intensity of a fleeting moment. The latter forms the basis of a variety of tales in which there is no 'story' in the accepted sense of the word; a crisis or a mood have provided sufficient material for the writer. It is common for characters to be viewed as they pass from one particular period of their existence to another, such as their involvement in some personal dilemma. However, no matter what the situation may be and no matter how much creative imagination is expended in building a plot or in arranging a setting, there will be little or no development of character; the framework of the short story is restricting, and the action has to turn on some factor resulting from the character of the people involved at a given moment. This is established through conversations or by descriptions which are always strictly functional and used to suggest an atmosphere or to create an environment which can then influence behaviour or serve to explain character; behaviour and character are then allowed to dictate the action, and the action is left to speak for itself, free from any external interpretation.

The narrow confines within which the short-story writer must work also restrict the manner and the form in which he tells his tale. He is obliged to adopt great economy in words and in description, and it is a convention that he should directly indulge neither in subjective reflection nor in moralising, nor intrude in any way; his function is to remain in the background and never to interpose himself between his characters and the reader. Even when the writer's style is considered, it will be found that economy, discretion and clarity are of prime importance; digressions are out of the question since everything must be related to the total effect of the story, which has to be taut and to the point. Despite these restricting influences, a skilful storyteller can fashion endless variations in the presentation of his material. A straightforward narrative in the third person is probably the most frequent form chosen, but often a second or even a third narrator is introduced; other techniques employed are a letter, a reminiscence, a private diary, an intimate confession, and even a casebook. Once a particular medium has been selected, simplicity and brevity are the essentials, but the simplicity is artful and the brevity achieved only by extreme self-discipline on the part of the writer, who is constantly crowded by the very real limitations of his chosen form. However, once these limitations have been acknowledged, the writer can amuse or instruct or horrify, and, if he is endowed with genius, he can dispense with certain of the conventions and still produce a masterpiece of the *genre*.

Jean Anouilh

Jean Anouilh was born on June 23rd, 1910. His father was a tailor and his mother a violinist employed by the casino orchestra at Arcachon. The family stayed in the Bordeaux area until 1925 when they moved to Paris where Anouilh attended the *Ecole Colbert* and later the *Lycée Chaptal*. Subsequently, he pursued his studies in the *Faculté de Droit* for a period of two years before deciding that he was temperamentally unsuited to the law. Having managed to find employment for his talents in a publicity firm, he made the acquaintance of Jean Aureche, Max Ernst, Paul Grimault and Jacques Prévert, who were also employed there. Unfortunately, the enthusiasm of this group was often misplaced, and all five were dismissed after a particularly disastrous attempt to make a publicity film.

Anouilh had always been interested in the theatre, writing plays for his own amusement, and now with Aurenche's encouragement he wrote a series of curtain-raisers out of which only *Humulus le muet* has ever been performed or published. The co-operation of the two friends also brought a full-length play, *Mandarine*, with which Anouilh made his début on the stage in 1933; unfortunately for the young dramatist, it was a flop. After struggling for a further six months, he obtained the position of secretary at the *Comédie des Champs-Elysées*, at that time directed by Louis Jouvet. Anouilh eventually submitted one of his manuscripts to the great man, only to suffer a rebuff. However, Pierre Fresnay had read *L'Hermine* which Anouilh had written while still at school; he recommended it to Paulette Pax who produced it at the *Théâtre de l'Œuvre*, where it played for thirty-five performances. Anouilh had just married a young actress, Monelle Valentin, and placed great hopes on another play, *Y avait un prisonnier*. The manuscript passed through many hands until it was finally tried out at *Les Ambassadeurs* with dismal results; strangely enough MGM bought the film rights, giving Anouilh a sum sufficient to replace the furniture from the set of Giraudoux's *Siegfried* which had been lent to him by Jouvet, and to buy a car. No screen version was ever made, but Anouilh now began to write screenplays to ensure an income, a side-line which he has continued to the present day, despite occasional references to what he calls his *'honteux passé cinématographique'*; his work in this field includes *Monsieur Vincent, Anna Karénine, Caroline Chérie* and *La Ronde*. It was during the mid-nineteen-thirties that he wrote *M. Mauvette et la fin du monde,* the only short story which he has ever published, and it is within the bounds of possibility that he saw it as a sketch for a film scenario.

Attila le magnifique, Le Bal des voleurs, Jézabel, La Sauvage and *Le Petit Bonheur* were written without finding a producer, but eventually Anouilh's luck changed and Pitoëff agreed to present *Le Voyageur sans bagage* at the *Atelier* in 1937. The success of this play was the beginning of Anouilh's remarkable climb to a position of pre-eminence in the French theatre for the next twenty-five years; in fact, the year without a new Anouilh production was rare indeed until 1961 when *La Grotte* was produced. The author of *Antigone, L'Alouette, Pauvre Bitos* and *Becket* then abandoned the stage, except for adaptations and translations of Shakespeare and Graham Greene, until 1968 when *Le Boulanger, La Boulangère et le Petit Mitron* was produced; since then *Cher Antoine, Les Poissons rouges, Ne réveillez pas, Madame* and *Le Directeur de l'opéra* have followed in quick succession. This renewed activity is most welcome, because Anouilh has always displayed a stage-sense without parallel in the twentieth century.

Histoire de M. Mauvette
et de la fin du monde

par JEAN ANOUILH

Il pouvait être deux heures du matin. Je rentrais apparemment d'un cinéma et j'avais sans doute prolongé ma soirée dans une brasserie voisine de la place Saint-Germain-des-Prés dont je suis un fidèle client.

Je suis sobre et s'il m'arrive de boire au cours d'une nuit de discussions amicales, je résiste parfaitement à l'alcool. Robonard, mon vieux camarade de lycée qui m'avait sans doute raccompagné à ma porte, au coin de la rue, venait de me quitter.

En effet, à la suite d'un accord qui datait de notre douzième année — j'étais à cette époque un garçon plus fort et plus dégourdi* que lui et donc tout naturellement le chef de notre association —. Robonard me raccompagnait toujours. Tout au plus se permettait-il, les soirs où il était très en retard, de s'arrêter à la première station de métro, dans ma direction, passée celle où il aurait dû s'embarquer... Depuis, un important héritage, une certaine réussite littéraire — alors que j'étais resté un petit rentier oisif* — avaient bouleversé les raisons profondes de cette injustice. Mais Robonard qui pour toutes choses avait pourtant pris l'habitude de me traiter en inférieur me raccompagnait encore fidèlement chez moi.

Donc, j'avais certainement quitté Robonard quelques secondes auparavant. J'étais venu à pied de la brasserie à ma porte; d'abord parce qu'il ne pleuvait pas et qu'amoureux de Paris nocturne, nous ne prenions une voiture pour rentrer que par les très mauvais temps; ensuite parce que le journal portant cette date, retrouvé et consulté, annonce de la façon la plus formelle une grève générale des taxis pour ce jour-là.

Robonard, qui se vante par ailleurs de prouesses amoureuses, est cependant un homme peu résistant. On m'objectera qu'il y a des hommes d'apparence malingre* qui possèdent cependant une vigueur surprenante. J'y consens. Ils sont capables d'un effort bref et violent: un coup de poing, un saut, un arraché,* mais il est évident qu'ils n'ont pas la musculature suffisante pour fournir un effort rude et prolongé; par exemple porter un homme pendant plus de cinq cents mètres. Je connais Robonard depuis trente ans; je suis, en tout cas, sûr que lui est incapable d'un tel effort.

Un autre point me semble capital. Si *cette chose* avait existé notre conversation *n'aurait pas pu être* ce qu'elle a été. Or, j'ai une mémoire infaillible. Mes amis l'ont cent fois vérifié, tant au cours de nos conversations habituelles que dans les petits jeux de société* auxquels je me livre innocemment et qui m'ont fait surnommer parmi eux « Le petit Inaudi ».* Il me suffit d'entendre une fois une pièce de vers—même longue — pour pouvoir la réciter par cœur quelques jours après. A plus forte raison ne puis-je oublier une conversation à laquelle j'ai pris une

B

part active. Or, pendant tout le trajet de la brasserie à ma maison (bien qu'il déclare maintenant ne se souvenir de rien), j'ai parlé avec Robonard d'un voyage à pied que nous projetions pour l'été prochain en Auvergne. Nous avons parlé d'un voyage *à pied* et non d'un voyage en automobile comme il en émet quelquefois l'hypothèse. Nous avons fait mieux, nous avons discuté de l'opportunité, pour ce genre de randonnée, de la double paire de chaussettes ou du graissage des pieds comme au régiment. Nous n'aurions pas parlé de ce détail à propos d'un voyage en automobile surtout *si la chose* avait déjà existé.

Robonard m'ayant donc quitté à ma porte ou, peut-être, au coin de la rue (je ne peux préciser ce détail, je l'avoue, mais il ne peut modifier que de quelques mètres la longueur de notre trajet) — je sortis mes clefs de ma poche et j'ouvris la porte du petit hôtel* — héritage de ma tante Jeanne — que j'habite avec ma femme et mes deux enfants.

La porte ouverte, j'avais à franchir un seuil de pierre d'environ seize centimètres de hauteur sur les bords et, par suite de l'usure, de neuf centimètres, au plus, dans la partie centrale. Je voulus entrer : je tombai.

La partie usée se trouvant sur le champ faisant face à la rue, il y a donc sur la largeur du seuil un dénivellement* qui me parut une explication toute simple de ma chute. Je n'étais jamais tombé à cette place, mais il y a quelques années, ma femme s'y était foulé* assez gravement la cheville et les enfants, quand ils étaient petits, y faisaient des chutes fréquentes.

Je me relevai, repoussai la porte en maugréant* et, me tenant au mur, je cherchai le commutateur* le plus proche. Il y en a deux réunis par un système dit de va-et-vient.* Je m'étais relevé à égale distance de l'un et de l'autre. J'étais au pied des trois petites marches qui mènent à la porte vitrée de l'antichambre, contre laquelle se trouve le second interrupteur.* C'est vers celui-là que je décidai de me diriger. Ces marches me sont familières, je n'avais besoin d'aucune lumière pour les monter. Je fis un pas : je m'écroulai. Je me relevai, je m'écroulai à nouveau. Un troisième essai fut suivi du même résultat.

A ce moment la question la plus simple se posa à mon esprit. Ai-je bu ?

Je revis la brasserie, les soucoupes* posées près du coude de Robonard. Elles étaient quatre, en fibre de bois imprimée. Nous avions donc bu, à nous deux quatre demis de bière pas autre chose. (Robonard put d'ailleurs plus tard confirmer ce détail ainsi qu'Émile, notre vieux garçon attitré.)* Je me sentais en excellente santé. Je pensai cependant: « Je suis peut-être malade, affaibli, et, contre mon habitude, je n'ai pas pu supporter cette bière? »

A ma troisième tentative, j'étais tombé sur les marches. J'achevai de les grimper à genoux et je me dressai en m'aidant du mur. Je sentis alors une certaine instabilité de tout mon corps que je mis sur le compte de mon hypothétique malaise — malgré mon estomac léger et la régulière cadence de mon cœur. Je tournai le commutateur. Je retrouvai le décor rassurant du corridor dépouillé de cette sorte de sournoiserie qu'ont les objets les mieux connus dans l'obscurité. Par terre j'aperçus ma canne et mon chapeau. Je voulus me baisser pour les ramasser: je perdis l'équilibre et roulai en bas des marches.

Il est impossible de décrire l'incertitude dans laquelle je me trouvai alors. Elle fut pourtant bien autre lorsque, baissant machinalement mon regard vers mes pieds: *je m'aperçus que je n'en avais plus.*

En partant j'étais chaussé de souliers de forme dite « derby » en box-calf noir (je les ai achetés dans un magasin du boulevard Saint-Germain après avoir hésité entre cette paire et cette autre paire jaune dont je peux encore donner l'exact signalement). Or, non seulement ces chaussures n'étaient plus à mes pieds, mais encore, je n'avais plus de pieds.

J'eus d'abord une pensée stupide. J'étais tombé très violemment et je venais de me couper les pieds. J'allais appeler au secours. Ma pensée fut plus prompte que ma voix, qui s'étrangla dans ma gorge. On ne se coupe pas les deux pieds en tombant. C'était absurde. D'ailleurs je ne saignais pas. J'avais à l'extrémité de mes membres inférieurs, deux pilons* enveloppés de cuir.

J'ai fait un mariage d'amour. Depuis dix-sept ans, rien n'était venu ternir la tendresse profonde qui m'unissait à ma femme. Elle était la douceur, l'indulgence même. Je lui avais vu élever nos enfants sans un cri d'impatience, sans une gifle. Je dois même confesser qu'elle avait supporté quelques frasques* conjugales sans un seul mot d'amertume.

Je suis douillet* et je m'enrhume facilement. Angèle avait toujours soigné mes bobos* avec la même attention, la même inquiétude tendre que s'il s'était agi de graves maladies. J'avais même pris, enveloppé de sa douceur, l'habitude un peu ridicule de m'en remettre à elle comme un enfant à sa mère, à la moindre douleur, au plus léger ennui.

Lorsque je me vis par terre dans ce triste état, mon premier cri fut de l'appeler. Je l'aurais fait, je crois bien, si je m'étais cogné le front au chambranle* de la porte. Songez avec quelle ferveur, avec quel espoir dans sa tendresse maternelle je pus le faire lorsque je me trouvai brusquement sans pieds.

Un long moment s'écoula où je restai affalé* dans le corridor, respirant avec peine, un tourbillon vertigineux d'images, dont je ne pouvais fixer aucune devant mes yeux.

J'entendis enfin son pas dans l'escalier. Elle parut. Incapable de parler, je poussai des cris inarticulés, lui montrant mes jambes. Elle ne sembla pas le moins du monde étonnée. Elle prit simplement un air de désapprobation complète que je ne lui avais jamais vu prendre avec moi.

Détail qui me frappa, son visage, ainsi durci, me parut plus vieux. Elle me regarda quelques secondes en silence puis haussa les épaules et laissa tomber d'un air froid ces étranges paroles:

— Tu vois, Paul. J'avais raison.

Je pensai qu'elle ne remarquait pas ma mutilation. J'étais toujours incapable de parler et l'on conviendra que ce nouveau coup n'était pas fait pour me rendre l'usage de la parole. Je balbutiai tendant mon doigt vers mes pilons:

— Là… là… là…

Elle suivit mon doigt du regard. J'attendais un cri d'horreur, de pitié, d'amour, d'étonnement, un cri de n'importe quoi, mais un cri. Elle dit simplement:

— Oui, oui. Tu ne les as pas encore cassées cette fois mais ça viendra si tu t'obstines à sortir avec une simple canne. Et tu te casseras aussi la colonne vertébrale.

Je retrouvai enfin ma voix pour hurler:

— Mais, mais ça ne t'étonne pas?

Elle répondit le plus calmement du monde:

— Tu as toujours été original.*

Puis elle tourna les talons en jetant négligemment:

— Je vais réveiller Léonie qui t'aidera à te relever. Moi avec ma hernie,* ça m'est impossible. Ne crie pas encore tu réveillerais les enfants.

Ce discours me fit perdre à nouveau la force d'articuler convenablement. Je bredouillai* quelques syllabes qu'elle n'écouta même pas et je restai seul, plein d'horreur.

Au bout de quelques minutes, je réussis enfin à avaler ma salive, et j'entendis ma voix qui disait dans un murmure:

— Mais tu n'as pas de hernie, Angèle...

Sitôt prononcée cette phrase s'enfonça vertigineusement dans mon esprit. Au passage de cette infernale petite torpille les notions reçues explosaient en une poussière d'éclats, qui explosaient eux-mêmes, à leur tour, en éclats plus petits.

« Angèle n'a pas de hernie. Angèle incapable de faire un effort? Je la revois hier encore soulevant une grosse malle pour y ranger de vieux vêtements. Cette malle, c'est moi qui ai aidé à la descendre du grenier! J'avais donc mes pieds. Si hier encore j'avais mes pieds, Angèle aurait dû être étonnée de ne plus me les voir aujourd'hui et — elle si bonne — mieux encore qu'étonnée, elle aurait dû être émue, pleurer sur mon triste sort. Non, un calme, une froideur, enfants d'une longue habitude... »

Or, j'examinai toutes les hypothèses: si je n'avais plus de pieds depuis longtemps déjà (en admettant que je sois le seul à ne pas m'en être aperçu) je suis sûr qu'avec son caractère aimant et tendre, Angèle aurait multiplié les attentions pour m'éviter de souffrir moralement de mon infirmité, d'y penser même. Elle aussi était donc changée sans aucune raison, physiquement et moralement; puisqu'elle était devenue dure, revêche* et herniaire?* Car — ce détail se présentait sans cesse à la surface de ma conscience, j'aurais voulu la psalmodier* d'un ton plaintif comme une enfant — jamais, jamais, en temps normal, ma femme, si bonne, si maternelle, n'aurait cédé à une étrangère comme Léonie le soin de me relever et de me consoler...

Léonie! Ce nom me frappa soudain. Qui était Léonie?

Nous n'avions qu'une servante, depuis longtemps à notre service, et elle s'appelait Marthe. Ma femme était donc folle?

Cette idée s'épanouit aussitôt, éclairant tout d'une lumière qui me parut — avec quel soulagement! — être enfin celle d'une réalité acceptable. Ma femme était folle cela ne faisait pas de doute: elle parlait d'une hernie qu'elle n'avait pas, d'une servante s'appelant Léonie, alors que la nôtre s'appelait Marthe. Elle était folle; c'était sûrement ça: une réalité horrible, mais enfin une réalité. Au fond de mon angoisse amicale, je sentais presque une sorte de soulagement, de joie inavouable que je m'efforçais sans y parvenir de chasser pour ne considérer que le désolant état de ma pauvre femme.

Une pensée nouvelle grignota soudain ma quiétude. Si c'était ma femme qui était folle, comment se faisait-il qu'avant qu'elle soit arrivée, avant qu'elle ait dit un mot — donc dans une série de faits qu'elle ne pouvait aucunement avoir influencés de sa folie — je sois tombé trois fois et j'aie constaté l'absence de mes pieds ?

Un brusque frisson me parcourut. Ce n'était pas ma femme qui était folle : c'était moi. Pris d'une hallucination étrange, victime peut-être d'un hypnotiseur, je me figurais que je n'avais plus de pieds et mon corps, obéissant à cette idée-force,* ne tenait plus en équilibre (je me souvins d'un petit casino breton où un monsieur avec qui j'avais parlé le matin même sur la plage, devenu pour quelques instants le sujet bénévole d'un fakir en tournée,* évitait gravement, sur la scène vide, une automobile imaginaire). Ce souvenir me rassura. J'avais bel et bien mes pieds. Un peu de volonté et j'allais rompre le charme. Avec un pâle rire, car je ne croyais qu'à demi à cette hallucination passagère, j'essayai de me relever : je m'écroulai, me faisant, cette fois, très mal au coude.

Comme j'avais fort heureusement conservé mon solide bon sens, je décidai d'attendre les événements sans renouveler, en aucun cas, ces dangereuses tentatives.

Ce raisonnement positif me rassura. Je me pris à me dire qu'un fou ne l'eût pas fait. Il se fût obstiné — quitte à s'estropier* — pour se prouver qu'il n'était pas fou. Je me dis aussi que si ma folie avait consisté à ne pas voir mes pieds et à me conduire comme si je n'en avais pas :

1° Je n'aurais pas été surpris et je ne serais pas tombé plusieurs fois en faisant cette découverte.

2° Ma femme m'aurait crié de me lever, que je n'avais rien, au lieu de me parler de jambes de bois cassées et de me proposer une aide pour me mettre debout. Une chose me parut donc assurée : pour ses sens comme pour les miens, mes deux pieds étaient coupés. Si un troisième personnage le constatait, la réalité de cette mutilation ne pouvait plus faire de doute. Il fallait donc attendre la venue de la servante.

Des pas firent craquer les marches de l'escalier. Une grosse femme brune, inconnue de moi, apparut en camisole de nuit. Ma femme la suivait, plus froide que jamais.

— Tenez, Léonie, dit-elle, aidez monsieur à se relever et à se mettre au lit.

Je regardai cette femme approcher, d'un tel œil qu'elle crut bon de me dire, se méprenant sur la crainte qu'elle m'inspirait :

— Que monsieur n'ait pas peur. Monsieur sait bien que je ne lui fais jamais de mal lorsque je l'aide. *Monsieur dit même qu'il n'y a que moi qui sait le faire.*

A ces mots une obscurité glacée se fit en moi. Dans cette nuit, une sorte de feu follet* absurde sautillait, fuyait, revenait. « Nous sommes tous fous, nous sommes tous fous. Nous sommes tous fous. »

Je laissai la femme me relever, je m'appuyai sur elle. A cet instant, un tiède, un réconfortant soleil fit fondre en moi ce paysage de désolation. Comme j'étais bête ! Je rêvais tout simplement !

Je fis un effort pour m'éveiller, j'écarquillai* mes paupières, puis, me souvenant du détail d'un roman de mon adolescence, je saisis une épingle à nourrice sur le caraco* de la femme, résolument je me l'enfonçai dans ma main. Une douleur vrilla ma chair. Le sang jaillit.

— Hé bien, hé bien, se désola la femme. Voilà monsieur qui se pique maintenant !

— C'est gai de s'occuper d'un malade comme toi, dit sans éclat la voix de mon épouse derrière nous. Que voulais-tu faire avec cette épingle ? Tu devrais pourtant avoir à cœur de nous rendre la tâche plus facile...

Je ne répondis pas et je me laissai mettre au lit.

Je restai longtemps dans l'obscurité sans bouger, puis n'y tenant plus,* j'allumai ma lampe de chevet. A l'endroit où habituellement mes pieds dessinaient un petit monticule — je dors sur le dos — le couvre-pied était absolument plat. Sur une chaise j'aperçus les deux jambes-pilons qu'on m'avait enlevées. Je les regardai sans pensée. Au tourbillon d'idées qui avait suivi la découverte de mon infirmité avait maintenant fait place une sorte d'ahurissement,* comparable à celui que doit donner un fort coup sur la tête. Si surprenante que fût la présence de ces deux jambes-pilons au chevet d'un homme qui s'était levé le matin — comme j'étais sûr de l'avoir fait — absolument ingambe,* mon esprit dérouté ne se posa qu'une seule question : il doit être très difficile de les mettre...

J'essayai longtemps d'imaginer les gestes que j'aurais à accomplir le lendemain matin pour y introduire mes moignons* — si toutefois mon étrange état se prolongeait jusque-là. Une curiosité enfantine, amusée, vint bientôt, tout doucement, prendre la place de mon angoisse. Je ne me demandais plus pourquoi j'étais brusquement privé de mes pieds, mais comment telle courroie pouvait s'adapter à telle boucle, à quoi servait tel coussinet, s'il était possible de passer seul son pantalon, une fois les pilons fixés aux jambes, etc... Finalement je n'y tins plus. Je m'assis sur le lit. J'attirai à moi les deux pilons et je me mis en devoir de les lacer à mes jambes. J'eus beaucoup de mal avec le premier, mais sitôt qu'il fut solidement attaché, je fus récompensé par une vive satisfaction. Je mis très facilement l'autre. Alors, sans but défini, je m'habillai et me préparai à sortir.

Pendant que je descendais l'escalier — sur le derrière car je ne voulais réveiller personne, et surtout risquer de tomber encore — j'entendis sonner six heures à l'horloge de la salle à manger. Dans le vestibule, je trouvai deux cannes à l'extrémité caoutchoutée* que je ne connaissais pas. Je les pris néanmoins et je sortis.

Dès les premiers pas je fus surpris de mon habileté à marcher ainsi équipé. J'avançais sans presque tanguer,* m'appuyant simultanément sur l'un des deux pilons et sur la canne opposée. Cet exercice m'amusa même, et après quelques essais, je me promis d'apprendre à avancer avec une seule canne.

Arrivé au coin de la rue, comme je m'apprêtais à prendre le boulevard, j'eus soudain un coup au cœur. La crémière chez laquelle nous nous servions depuis fort longtemps, et chez qui j'étais allé parfois — lors d'une absence de la domestique — faire plusieurs petites emplettes — ouvrait justement ses volets. Elle allait me voir passer, s'étonner, poser des questions extrêmement embarrassantes. Il était trop tard pour revenir sur mes pas: j'allais prendre parti de m'enfoncer le col de mon pardessus, lorsque, brusquement, elle se détourna. Je rougis, éperdu: mais ses yeux ne marquèrent aucune surprise, et elle me dit simplement, comme si ma présence, sans pieds, appuyé sur deux cannes d'infirme, était la chose la plus naturelle du monde:

— Déjà levé? Bonne promenade, monsieur Mauvette.

J'eus à peine la force d'esquisser un sourire; aussi vite que je le pus, je passai. Je fis encore quelques centaines de mètres sur le boulevard et je m'écroulai sur un banc.

Je me mis alors à réfléchir sérieusement. Il ne s'agissait plus de m'amuser avec ces pilons. Où étaient mes pieds? Hier j'avais quitté ma maison, mes deux jambes valides chaussées de souliers que je connaissais bien. J'avais été au cinéma, retrouvé Robonard à notre brasserie habituelle, bavardé avec lui en buvant deux demis, puis j'étais rentré en bavardant encore, sans qu'aucun incident ait marqué notre trajet. A quel moment avais-je pu perdre mes pieds? Des pieds ne se perdent tout de même pas aussi facilement que ça, au vingtième siècle, en plein Paris. Je devais retrouver mes pieds.

A raisonner plus calmement, j'en vins à la solution que j'aurais d'abord dû envisager puisque mes propres souvenirs ne pouvaient m'apporter aucune précision, le mieux était d'aller interroger mon ami Robonard qui ne m'avait pas quitté hier pendant tout le temps où mes pieds avaient été susceptibles de me fausser compagnie. Peut-être aurait-il remarqué quelque chose.

Robonard habitait justement tout près, sur le boulevard même. Je me dirigeai vers sa maison que je pouvais apercevoir de là où je me trouvais, car on en avait ravalé* récemment la façade et elle faisait une tache blanche parmi les autres immeubles.

En approchant elle me parut, à vrai dire, moins blanche que je ne le pensais. J'allais philosopher sur les fumées qui salissent les plus beaux quartiers de Paris lorsque le cœur me manqua. Je jouais de malheur.* La concierge balayait le paillasson sur le trottoir.

Je passai aussi rapidement que je pus. Elle dut pourtant me reconnaître car, à peine engagé sous la voûte, je l'entendis m'appeler:

— Monsieur Mauvette!

Cette fois, je n'y coupais pas. J'allais être accablé de questions. Je me retournai confus.

— Hé bien! Monsieur Mauvette, fit-elle en riant...

Je n'avais pas encore eu le temps matériel de prendre cette susceptibilité si spéciale aux infirmes, pourtant ce rire me déplut. Je répliquai aigrement:

— Hé bien quoi?

La femme se mit à rire de plus belle:

— Ces savants tout de même comme ils sont distraits! Il est vrai qu'une si longue habitude...

Je ne voyais pas où elle voulait en venir:

— Quelle habitude?

— Ah! vous voulez rire de moi, fit-elle, soudain digne en pensant que les concierges eux-mêmes n'étaient pas à l'abri d'une plaisanterie déplacée. Voyons, vous savez bien que M. Robonard n'habite plus ici...

Robonard avait déménagé depuis la veille sans rien me dire? J'allais pousser une exclamation, la questionner. Mais les heures étranges que je venais de vivre m'avaient rendu circonspect. Je la saluai sans mot dire et je m'éloignai.

Ainsi donc depuis hier soir dans l'ordre de découverte, j'avais perdu mes pieds, ma femme avait pris une hernie, nous avions changé de bonne et Robonard avait déménagé.

C'en était trop. Je sentis une sorte de vague chaude me submerger. J'entendis des cloches. Je tombai.

Je revins à moi dans une pharmacie. Dès que j'ouvris les yeux, un agent qui était à mon côté me demanda mon adresse, en manifestant l'intention de me conduire chez moi. Je le remerciai de son obligeance, payai les quelques francs que le pharmacien me réclama pour ses soins, et après leur avoir affirmé que j'étais coutumier de ces malaises et qu'ils étaient sans gravité, je sortis.

Mais dehors je me heurtai à un groupe de badauds* qui attendaient ma sortie. Je m'éloignai, ils se mirent à me suivre, mus* peut-être par l'espoir malsain de me voir tomber une seconde fois. Gêné par leur insistance je scrutai la chaussée: aucun taxi; la grève durait encore. Avec mon infirmité il ne fallait pas songer à presser le pas, je me détournai donc vers la première vitrine venue, et je me mis à la contempler avec une attention feinte, dans l'espoir de les décourager. Peu à peu je me sentis plus à l'aise et je vis ce que je fixais intensément depuis un moment: c'était une paire de chaussures. Le hasard m'avait fait arrêter devant la boutique d'un bottier.

Bientôt je crus être victime d'une hallucination, la paire voisine de celle que j'avais fixée jusqu'ici — un derby* noir étiqueté 165 F — était *ma* paire de chaussures.

Je me reculai et la réalité me parut un instant, plus simple. Ce n'était pas ma paire de chaussures, c'était sa sœur. J'étais en effet devant le magasin où j'avais acheté quelques jours auparavant le derby semblable qui avait disparu dans la nuit avec mes pieds.

Tant par une sorte d'obscur pressentiment que pour me donner une contenance,* je continuai à examiner avec attention ce derby de box-calf noir. Derrière moi, les badauds commençaient à échanger à mi-voix des quolibets* ineptes. La vue de cet homme sans pieds contemplant des chaussures leur paraissait infiniment comique.

Pour essayer de ne pas les entendre, je forçai encore mon attention. C'est alors que se produisit l'événement le plus curieux de cette matinée pourtant fertile en mystères; une des chaussures, sans que personne l'ait touchée à travers le rideau vert du fond, se mit à bouger très légèrement, à intervalles réguliers, comme pour faire un signe.

Je ne crois pas au surnaturel. J'ai fait d'assez bonnes études scientifiques et je professe un matérialisme, éclairé certes, mais sans illusions. Je m'efforçai de regarder une autre paire, puis, calmement, je ramenai mon regard sur le derby noir. Cette fois ce fut l'autre chaussure qui me fit signe.

Je détournai mon regard une fois encore. Je comptai jusqu'à cent, je me récitai mentalement quelques vers de Verlaine, mon poète favori, afin de m'assurer de ma parfaite clarté d'esprit. Puis je ramenai mon regard sur la paire de box-calf noir. Cette fois les deux chaussures firent le signe ensemble.

Une sorte d'attendrissement paternel s'empara de moi, mon cœur se mit à battre à tout rompre. Plus de doute mes pieds étaient là... Sans me soucier de l'éclat de rire qui secoua la foule, j'entrai.

Il me fallut de longues discussions pour vaincre la résistance du vendeur, puis celle du gérant appelé en consultation. Ces hommes ne voulaient pas, malgré l'offre d'un supplément, me vendre la paire de la vitrine et surtout la forme — ou du moins ce qu'ils appelaient la forme — qu'il y avait dedans. « Il existait », s'obstinaient-ils à me répéter, « des modèles beaucoup plus commodes; celle-ci était une forme de bottier, lourde, difficile à introduire ». Enfin, de peur de manquer une vente, ils me la cédèrent pour trente francs, mais ils profitèrent de mon insistance pour me vendre des chaussettes, des crèmes spéciales et des lacets pour dix ans.

Le foule, grossie et caquetante, m'attendait à la porte. Elle se remit à me suivre. Je marchai longtemps pour la décourager et il était près de midi lorsque le dernier, le plus obstiné, un petit voyou* en salopette,* se décida enfin à me quitter un instant du regard, en passant devant la vitrine d'un marchand de cycles. Je tournai rapidement dans la première rue transversale et, après plusieurs crochets,* je me retrouvai, enfin seul, à proximité du Luxembourg.

Ma décision était prise. J'achetai chez le coutelier le plus proche un solide couteau au fil parfait. Puis j'avisai un chalet de nécessité* et je m'enfermai dans une cabine. J'ouvris mon paquet, je pris l'une des formes de bois; j'y fis, tant bien que mal, un trou au milieu, et, après avoir coupé le bout de mon pilon, je l'y emboîtai. Je fis de même pour l'autre pied et, toujours aidé de mes cannes, je sortis du chalet de nécessité sans que l'attention de la préposée* ait été éveillée par mon changement.

Je marchai ainsi, plus difficilement qu'avec mes pilons mais, pour la première fois depuis mon étrange découverte, je sentais en moi une sorte de quiétude.

Il devait être près d'une heure, je n'avais rien pris depuis le matin et j'avais marché, longtemps, d'une façon assez pénible. Je me sentais très faible. Je décidai d'aller boire quelque chose dans un café du boulevard Saint-Michel. Je voulus traverser le boulevard pour me rendre à celui que je choisissais de préférence dans le quartier. A ce moment j'entendis une clameur, un horrible fracas de ferraille et je vis une énorme masse me couvrir.

Je ne perdis pourtant pas connaissance. Je fermai simplement les yeux, une seconde, comme sous le coup d'un éblouissement. Lorsque je les rouvris, des gens se bousculaient en hurlant, autour de moi. Il y avait du sang. On me souleva et une horrible douleur me tordit soudain. Je poussai un cri, auquel répondirent des cris de femme dans la foule. Quelqu'un clamait sans interruption:

— Écartez-vous, bon Dieu! Écartez-vous!

Pendant qu'on m'emportait, je m'enfonçai peu à peu dans un profond trou noir.

Pourtant j'entendis une voix, déjà étouffée et lointaine, qui disait:

— Pauvre homme. C'est horrible. Il a les deux pieds sectionnés.

Je restai quelques temps à l'hôpital, puis on me transporta dans une clinique où je pus, plus commodément, recevoir mes amis et ma famille. Angèle fut, pendant ces premiers temps de ma convalescence, un modèle de douceur et de bonté.

Robonard essayait de son mieux de me distraire. Mais sous notre amitié, en apparence pareille, il y avait maintenant mon horrible secret. Chaque jour je me promettais de le lui dire, chaque jour je remettais au lendemain.

Un après-midi, il arriva tout joyeux, se frottant les mains. Il avait fait depuis longtemps la connaissance d'une jeune fille qui correspondait à ses vœux, mais je savais que des difficultés familiales rendaient jusque-là leur union impossible. Il m'annonça qu'elles étaient aplanies et que le mariage était fixé au mois prochain. A ce propos, il me confia qu'il allait quitter le boulevard Saint-Germain et habiter un vieil hôtel que sa future femme possédait à Versailles.

Il y avait un mois que j'avais eu mon accident. Un mois par conséquent que j'avais appris de la bouche de sa concierge la nouvelle de son déménagement. Pendant un mois il me l'avait donc caché? Ce manque de confiance me révolta.

— Je ne sais pas pourquoi tu m'appelles ton ami, lui dis-je. Ce n'est pas la peine d'avoir trente ans d'intimité pour se mentir aussi grossièrement. Il y a plus d'un mois déjà que tu as déménagé.

Il se récria, jura ses grands dieux qu'il était encore boulevard Saint-Germain, qu'il ne devait pas déménager avant le quinze prochain.

J'eus quelques larmes amères:

— Tu profites de mon impuissance, dis-je. Et je lui racontai ce que m'avait dit sa concierge.

— Tu as rêvé, dit-il, ou bien elle s'est moquée de toi.

A ces mots, je n'y tins plus, et je commençai ma confession.

Lorsque je l'eus finie, Robonard hocha la tête et me dit simplement:

— Oui, oui. Tout cela est étrange. Mais que veux-tu? Le mieux est de n'y plus penser.

Il changea aussitôt de conversation et, sous un prétexte quelconque, s'en alla. A sa gêne,* je compris qu'il me croyait fou. Ulcéré,* je demandai alors à ma femme de ne plus nous laisser seuls. Il s'ingénia d'ailleurs à toujours amener un de nos camarades communs, lorsqu'il vint me voir. Puis il espaça ses visites, se contentant le plus souvent de prendre de mes nouvelles par téléphone.

Je revins bientôt à la maison, muni de deux cannes caoutchoutées et — détail curieux — de pilons dont je dus longtemps apprendre à me servir.

Cependant mon accident et le souvenir de l'étrange mystère qui planait sur la journée qui l'avait précédé m'avaient rendu taciturne. Je traitai de moins en moins ma femme, comme autrefois, en confidente et en amie. Isolé comme je l'étais, dans mon inavouable fantasmagorie,* j'avais perdu confiance en elle, comme en tout le monde.

Cette attitude la rendit elle-même plus maussade...* Mais je m'aperçus bientôt que mon silence n'était pas la seule cause de son changement de caractère. Très simple de goûts, elle aimait cependant la vie facile et mouvementée, quoique sans aventures, qui avait été la nôtre avant ma mutilation... Nos voyages, nos sorties devenus plus rares, elle s'ennuya, s'aigrit. Sans oser, après une si longue et si heureuse intimité, me reprocher sa vie gâchée — elle en vint cependant à m'accuser obscurément de son ennui et, peu à peu, à m'aimer moins.

Elle avait pris d'abord des précautions infinies pour m'éviter les petites peines de mon nouvel état. Elles se relâchèrent. Un jour, je crus même voir sur son visage une expression d'hostilité, semblable à celle du soir étrange où j'étais tombé dans le couloir.

A quelque temps de là, elle se disputa violemment avec notre vieille Marthe et, malgré ma résistance, la congédia.

Le soir même, elle ramena du bureau de placement une nouvelle servante, qu'elle ne me présenta pas. Mais au dîner, je sursautai lorsque je l'entendis dire à cette fille qui venait d'entrer dans la salle à manger, sans que je pusse la voir, la porte de l'office* se trouvant derrière ma chaise :

— Léonie, vous avez oublié la salière !

Je me retournai et faillis m'étrangler avec mon potage.

Souriante mais, il me parut, un peu moins corpulente, la femme brune qui m'avait aidé à me relever, la nuit de la chose, se tenait derrière moi.

C'en était trop. Cette fois j'allais bel et bien devenir fou. J'expédiai mon dîner et, prenant un taxi, je me fis conduire chez Robonard.

Il me reçut d'une façon assez réservée et me présenta à sa femme, sans commentaires. Je manifestai le désir de lui parler seul à seul. Il parut avoir quelque crainte, mais accepta. Je lui dis tout.

Je m'étais si bien évertué à être calme au cours de mon récit, je m'offris si nettement à le conduire au magasin de chaussures, au coutelier, au chalet de nécessité, que je réussis à vaincre son scepticisme. Nous téléphonâmes chez moi qu'il m'offrait l'hospitalité pour la nuit, et le lendemain matin, nous rentrâmes ensemble à Paris.

Le commis qui m'avait vendu la première paire de chaussures avait été congédié, mais celui qui m'avait vendu la seconde se souvint parfaitement de moi, ainsi que le gérant. Lorsque Robonard, avec beaucoup de précautions, demanda à ce dernier s'il se souvenait aussi de m'avoir vu avec des pilons le jour de ma bizarre emplette, il sourit, un peu gêné, et avoua que ce détail avait été pour beaucoup dans son hésitation à me vendre la paire de la vitrine et sa forme. Il craignait d'avoir affaire à un plaisantin,* ou pis, à un dément. Nous vérifiâmes, d'autre part, avec lui sur le livre de caisse que l'achat avait été fait le matin de mon accident. Nous le remerciâmes de son obligeance.

L'enquête auprès du coutelier et de la dame du chalet fut tout aussi concluante.

Nous allâmes alors nous asseoir, perplexes, à la terrasse de ce café du boulevard Saint-Michel jusqu'auquel je n'avais pu parvenir.

Robonard but et fuma longtemps, sans prononcer un mot. Puis il me regarda bien en face et me dit:

— Mauvette, je crois que j'ai compris. Ce qui est arrivé est épouvantable. Pas seulement pour toi, pour nous tous.

Il se tut encore un long moment sans que j'ose l'interroger, puis reprit d'une voix sourde:

— Depuis que le monde existe, les événements se sont déroulés, dans la durée*, suivant un certain ordre, qui n'a jamais été troublé, un ordre où notre volonté humaine entre pour une part, certes, mais une part elle-même déterminée... Si ce que tu me dis est exact (et notre enquête de ce matin me montre malheureusement que ça l'est), je crois comprendre que toi, Mauvette, humble rentier parisien, tu seras dans des millions d'anneés — si notre histoire leur parvient — plus célèbre parmi les habitants d'un autre système solaire que nos héros les plus fameux.

J'avoue qu'à cet instant du discours de mon ami, je conçus, à mon tour, des doutes sur son équilibre mental.

Il ne parut pas le voir, et continua:

— Un soir, tu as brusquement eu les pieds coupés, tu as vu ta femme devenue soudain acariâtre, ta bonne Marthe changée en une bonne Léonie — puis le *lendemain* tu es passé sous un tramway. Or, soyons logiques, ces événements puisqu'ils en étaient des conséquences plus ou moins lointaines, ne pouvaient être, et n'ont effectivement été que *postérieurs* à ton accident.

Pour toi donc, et pour toi seulement, il y a une erreur dans la durée. Tu as vécu, avant sa date, un instant de vie future, et, comme tout se tient, ce bouleversement en amènera d'autres, qui eux-mêmes en amèneront d'autres, puis ceux-ci de nouveaux, de plus en plus graves. Il y a eu une erreur dans le monde. Si petite qu'elle soit, elle rend la fin du monde inévitable, tôt ou tard. Sans toi, il aurait peut-être eu la chance de finir de vieillesse.

Il but et s'attendrit :

— Mauvette, quand je te les écrasais par plaisanterie, quand tu me bottais le derrière au collège, qui nous aurait dit que c'était tes pieds qui causeraient la fin du monde !

Il était deux heures du matin, le gérant nous pria de partir.

Depuis, j'ai souvent médité les paroles de Robonard et les conséquences gigantesques de mon malheur en ont beaucoup diminué l'amertume pour moi.

Je sors, comme autrefois, avec mon ami, car, s'étoilant* loin des brasseries, il est revenu habiter Paris.

Je rentre encore souvent à deux heures du matin, mais je n'ouvre pas ma porte sans que mon cœur batte à tout rompre, car je me demande toujours comment s'y prendra le destin lorsque nous atteindrons la place, dans la durée, du moment que j'ai déjà vécu.

Ma femme, en soulevant une valise, au retour des vacances dernières, a pris une hernie. Ce fait, l'examen de ses rides et de la corpulence de Léonie qui s'accroît chaque jour, me permettent, lorsque je les confronte avec mes souvenirs de la nuit tragique, d'augurer que *l'instant* est proche.

J'espère de tout cœur, ainsi d'ailleurs que me l'a laissé pressentir Robonard, que ce soir-là, je revivrai — puisque rien ne se crée et que rien ne se perd — les moments de ma vie passée dont *l'instant* avait par erreur pris la place.

J'aurais donc, pour quelques heures, des pieds.

Heureux d'échapper à mon sort pénible, quoique exceptionnel, je compte faire une fête terrible avec les jeunes femmes charmantes et vénales, que j'ai pris l'habitude de fréquenter, afin de les aimer comme autrefois, sans lire dans leurs yeux, en dépit de leur sourire, un imperceptible dégoût.

© *Cahiers Renaud-Barrault*, 26, mai 1959, Julliard

NOTES

dégourdi – *wide-awake*
un petit rentier oisif – *an idle property-owner*
malingre – *sickly; puny*
un arraché – *a sudden jerk; a snatch (as in weight-lifting)*
les petits jeux de société – *the parlour games; the party games*
Le petit Inaudi – *a famous child who possessed a prodigious memory*

un hôtel – *a mansion; a town-house*
un dénivellement – *a hollow*
ma femme s'y était foulé... la cheville – *my wife had sprained her ankle on it*
en maugréant – *fuming; cursing*
le commutateur – *the electric-light switch*
un système dit de va-et-vient – *a so-called two-way system*
le second interrupteur – *the second time-switch (this type of switch is standard in most French households)*
les soucoupes – *the beer-mats*

notre vieux garçon attitré – *our regular waiter*
deux pilons – *two wooden legs*
quelques frasques conjugales – *a few extra-marital escapades*
douillet – *delicate*
mes bobos – *my slight indispositions*

au chambranle de la porte – *on the door-frame*
affalé – *stretched out*
original – *odd; queer; eccentric*
ma hernie – *my rupture*

Je bredouillai quelques syllabes – *I mumbled a few words*
revêche – *cantankerous*
herniaire – *ruptured*
psalmodier – *to chant*

cette idée-force – *this compulsion*
un fakir en tournée – *a touring hypnotist*
quitte à s'estropier – *even at the risk of maiming himself*

feu follet – *will-o'-the-wisp*
j'écarquillai mes paupières – *I opened wide my eyes*

c

page 23 le caraco de la femme – *the woman's smock*

n'y tenant plus – *becoming less stubborn; unable to contain myself any longer*

ahurissement – *bewilderment*

ingambe – *active; nimble*

page 24 mes moignons – *my stumps*

à l'extrémité caoutchoutée – *rubber-tipped*

J'avançais sans presque tanguer – *I progressed almost without swaying*

page 25 on en avait ravalé récemment la façade – *the front of it had recently been painted*

Je jouais de malheur – *I was out of luck*

page 26 un groupe de badauds – *a group of layabouts*

mus – *past participle, masculine plural, mouvoir*

un derby noir – *a pair of black Derby-style shoes (shoes in which the toe and the tongue are made of one piece of leather)*

page 27 tant par une sorte d'obscur pressentiment que pour me donner une contenance – *as much out of a kind of vague foreboding as out of wanting to keep my self-control*

des quolibets – *jibes; jeers; cat-calls*

un petit voyou en salopette – *a little guttersnipe in dungarees*

page 28 après plusieurs crochets – *after several detours*

un chalet de nécessité – *a public convenience*

la préposée – *the attendant*

page 29 A sa gêne – *By his embarrassment*

Ulcéré – *embittered*

page 30 mon inavouable fantasmagorie – *my weird experience that I couldn't talk about*

maussade – *surly; peevish; disgruntled*

l'office – *the kitchen; the servants' quarters*

page 31 un plaisantin – *a joker*

la durée – *the sequence of time*

page 32 s'étiolant loin des brasseries – *wilting away when he was out of reach of the bars*

Hervé Bazin

Hervé Bazin is the pseudonym of Jean-Pierre Hervé-Bazin, the great-nephew of the famous novelist, René Bazin. He was born on April 17th, 1911, in Anger, where he later attended the *Collège Saint-Mausille*; subsequently, he transferred first to the *Collège Sainte-Croix* at Le Mans and then to the *Collège Saint-Sauveur* at Redon before proceeding to the Sorbonne. He showed an early interest in the art of writing, and entered the publishing house of Grasset, but his own literary début did not come until 1947 when he published a volume of poems, *Jours*, which won for him the *Prix Apollinaire*. The following year saw another collection of poems, *A la poursuite d'Iris*, and a novel, *Vipère au poing*, which was awarded the *Prix des Lecteurs*; indeed, Bazin's reputation rests on a series of novels notable for their author's bitter and often violent depiction of the life of the bourgeoisie. Among these are *La Tête contre les murs* (1949), *La Mort du petit cheval* (1950), *Lève-toi et marche* (1952), *L'Huile sur le feu* (1954), *Qui j'ose aimer* (1956), *La Fin des asiles* (1959), *Au nom du fils* (1960), *Chapeau bas, Plumons l'oiseau* (1963) and *Le Cri de la chouette* (1972). Bazin was elected to the *Académie Goncourt* in 1958. The present story is taken from a collection published in 1951 under the same title.

Le Bureau des Mariages

par HERVÉ BAZIN

La porte de l'agence était ouverte, mais Louise hésitait, n'osait entrer. Ce bureau lui faisait l'effet d'un cabinet dentaire: Louise avait toujours eu honte de montrer ses caries, comme si elle en était responsable par économie de dentifrice. Trois clientes s'attardaient dans cette succursale* du Public-Office-Parisien: une boniche* empêtrée* dans son ortho-graphe, une grande bringue* qui feuilletait le catalogue des numéros, une dame opulente qui s'intéressait à quelque reprise d'appartement. A l'extérieur, devant les cartolines matrimoniales* exposées en vitrine, se campait un jeune homme que Louise estima trop bien mis, trop bien fait pour en avoir réellement besoin. Il notait consciencieusement les annonces en commençant par les plus récentes et, à tout hasard, offrit à Louise son plus engageant sourire. Elle détourna la tête aussitôt et considéra les propositions d'achat ou de vente: «Fusil de chasse, calibre 16, modèle récent», ou «Piano à queue, raquette et costume d'enfant», ou encore «Vase chinois, bonne occasion à profiter». Cette dernière fiche l'amusa: sa famille possédait aussi de sacro-saints, d'affreux vases chinois. Cependant l'effronté se rapprochait de Louise sous le prétexte d'éplucher* toutes les étiquettes et son coude rencontra bientôt celui de la jeune fille. A peine flattée, bien que la chose lui arrivât rarement, Louise allait sans doute s'éclipser quand, de l'intérieur, le directeur ou le gérant ou l'employé principal, bref, un homme qui paraissait tenir un rôle correspondant à l'importance de son ventre, l'arrêta du regard et de la voix:

— Entrez donc, Mademoiselle, je suis à vos ordres dans un instant.

Affolée mais polie, Louise se glissa derrière la grosse dame et cet écran lui permit de trouver une contenance. Ses yeux, furetant dans tous les coins, lui apprirent que le bonhomme n'était qu'un sous-ordre* car il portait une chemise de toile d'avion très abîmée par l'eau de Javel. Mais le bureau se vidait.

— A nous deux, Mademoiselle. C'est pour une annonce matrimoniale?

Louise frémit. Ce préambule lui colora la pommette droite. Avait-elle donc le type classique de l'esseulée?*

— Oui, Monsieur, mais c'est très sérieux.

Vexée, elle avait enrichi le «très» d'une intonation grave. Les moustaches du bonhomme s'écartèrent et Louise sut ainsi qu'il souriait.

— Ne soyez pas gênée, dit-il. Ici rien n'équivoque.* Nous avons quelques clientes qui ont pratiqué la politique du héron,* mais nous comptons surtout de braves filles qui manquent d'occasions honnêtes.

Il toussa, pour assurer une transition décente entre la publicité et le tarif:

— Votre annonce paraîtra sous le numéro... le numéro 4.326.

L'affichage dure trente jours et coûte deux cents francs. Un supplément de cent cinquante francs est demandé aux personnes qui désirent domicilier leur courrier à l'agence pour une durée de trois mois. Avez-vous une carte d'identité?... Bon... Désirez-vous prendre un pseudonyme?... On choisit généralement un prénom... « Martine », ça vous va?... Maintenant remplissez votre fiche. Je vous serais obligé de faire vite; je vais fermer.

A la devanture, Louise avait repéré quelques modèles. Aucun ne lui donnait satisfaction. Comment se décrire en si peu de mots et surtout comment définir le type d'homme rêvé ou seulement souhaitable ou même passable? Non, Louise n'avait pas pratiqué la politique du héron, mais la vie ne lui avait offert que des limaces.* Elle avait bien le droit de les refuser. Ce chef de bureau quinquagénaire, ce voisin de palier chauve et boiteux, ce cousin de province aux yeux vairons,* elle les écarterait encore. Elle n'avait pas d'ambition... Plus exactement elle avait de petites ambitions, très simples, très raisonnables, surtout négatives: pas de ventre, pas de tare, pas d'idées subversives, pas de casier judiciaire,* pas de... Bref, beaucoup de « pas ».

— Allons, dépêchez-vous!

Louise cessa de sucer son stylo, écrivit ce mot pénible:

— *Demoiselle...*

Elle y avait strictement droit, ainsi qu'au titre de *Mademoiselle* auquel les commerçants substituaient généralement celui de *Madame*, dont Louise se fût très bien accommodée s'il avait été mérité, mais qui prenait dans leur bouche une valeur agaçante. Demoiselle, qu'on prend pour dame: variété desséchée de jeune fille.

— *Demoiselle... trentaine* (la trentaine dure jusqu'à trente-neuf ans pour une femme et Louise Dumond n'en avait que trente-huit)... *catholique, employée dans administration, épouserait...* Non, c'était trop direct. Il faillait dire: *désire connaître en vue mariage... Monsieur...* (Sens restreint: ce « Monsieur » s'oppose au petit *J. H.* réclamé par les moins de trente ans)... *âge et situation en rapport. Pas sérieux s'abstenir.*

Ouf! Corvée terminée. Louise tendit sa fiche, paya, enfonça le reçu au plus profond de son sac et rentra en courant rue de l'Estrapade, où elle habitait avec son frère depuis plus de vingt ans. Robert, qui arrivait d'ordinaire dix minutes après elle et dont l'estomac était plus précis que celui d'un nourrisson, bâillait déjà, recroquevillé* dans son indignation.

— Voyons, Louise, ronchonna-t-il,* à quelle heure vas-tu nous faire dîner ce soir?

Louise vivait seule avec Robert depuis la mort de leurs parents, c'est-à-dire depuis la mort de sa mère à elle et de son père à lui qu'avait réunis un mariage tardif entre veufs. Robert venait d'avoir trente-neuf ans et ne tolérait en aucune façon de s'entendre dire qu'il était entré dans la quarantaine. Il était beaucoup plus chatouilleux* que Louise sur ce chapitre et s'était rasé la moustache dès que le poivre avait pactisé* avec le sel de chaque côté de son nez, long et renflé comme un huilier.* Coquetterie gratuite et même démentie par son affection pour les cols amidonnés, les attitudes rigides et surtout par cette peur de ne jamais paraître assez sérieux, assez grave, par cette peur qui lui interdisait de lire *Clochemerle* et lui ordonnait de s'ennuyer une fois par semaine à l'Amicale des Clercs de France. Trop solennel pour être grincheux,* Robert était le type même de ces gens qui savent garder leurs distances en les allongeant de telle sorte que leurs intimes éprouvent auprès d'eux la sensation d'être des absents ou des indigènes d'une autre planète, favorisés d'un lointain coup de télescope. Pas méchant pour un sou, bien sûr, et plus discret que ses talons de caoutchouc; plus honnête qu'une chaisière,* plus régulier que la trotteuse* de son oignon;* bref, nanti des qualités complémentaires de ses défauts. Louise avait toujours eu pour ce garçon l'estime raisonnable que l'on doit avoir pour le curé de sa paroisse, pour les grands principes, pour les meilleures marques de savon. Elle l'aimait *bien*. Depuis vingt ans, du reste, Robert lui restituait ce « bien ».

— Pourquoi diable arrives-tu si tard?

La voix de son frère, toujours fêlée par un commencement ou une fin de bronchite, n'avait pas appuyé sur « pourquoi » mais sur « tard ». Le souci de *marquer le coup* l'emportait sur la curiosité. La question gêna Louise: ils n'avaient point tous deux l'habitude de se rendre des comptes et elle refusait d'avouer une démarche aussi ridicule que son inscription sur les listes d'une agence matrimoniale. Cependant, Robert avait toujours exigé sa ration de sucre dans le café et de politesse dans la conversation.

— Je me suis attardée dans un magasin, répondit-elle.

Elle ne put s'empêcher de sourire en songeant que ce magasin était en

somme une boutique d'antiquaire et qu'elle faisait désormais partie
de ses occasions. La glace de la cheminée lui sembla mieux renseignée
que d'habitude et, tandis qu'elle mettait la table, elle s'observa sans
pitié. Ses cheveux donnaient l'impression d'être collés comme la filasse*
qui sert de perruque aux crânes des poupées. Si encore celles-ci lui
avaient prêté leur insolente carnation* de celluloïd! Sa peau ne semblait
pas poudrée, mais poussiéreuse. Ses yeux, couleur de noisette grillée, ses
yeux seuls demeuraient dignes d'elle... Voire! Ils perdaient leurs cils.
Furieuse, Louise se tourna le dos, s'énerva, cassa une assiette.

— Du calme, ma chère! fit Robert, décidément odieux.

Le calme revint. Dix jours plus tard, Mlle Dumond n'avait pas remis
les pieds au P. O. P. Quand elle consentit enfin à y retourner pour
prendre son courrier, l'employé ne la reconnut pas. Il exigea son reçu
et le contrôla longuement avant de lui tendre quatre lettres.

Louise ouvrit la première dans le bureau même et, dès les premières
lignes, fut épouvantée:

Ma poule,

*Ainsi, tu ne peux plus te passer d'un petit homme. Ne fais donc pas
tant de manières et poste-toi le mardi 15, à 20 heures, sur la plaque de fonte*
*qui recouvre la bouche d'égout en face du Bar bleu, boulevard Saint-Michel.
Inutile d'amener une chemise de nuit. On ira se... etc.*

Suivaient trente lignes de ce que Louise appelait « l'horrible détail ».
Elle lut quand même la lettre jusqu'au bout avant de la réduire en
confetti, mais il s'en fallut de peu que les autres ne subissent le même
sort avant d'avoir été décachetées. Elle surmonta sa répugnance et
ouvrit la seconde épître, puis la troisième: elles étaient simplettes* et
décidées à tout respecter, sauf l'orthographe. Découragée, mais cons-
ciencieuse, Louisa glissa enfin son cure-dents dans le coin de la
quatrième enveloppe: deux feuillets dactylographiés s'en échappèrent,
deux feuillets qui sentaient le tabac et dont le second ne lui livra qu'un
prénom: Edmond, également tapé à la machine et suivi de la mention:
« abonné P. O. P., rue Pasquier. » Louise tiqua.* Cet anonymat
manquait de courage. Mais n'était-elle pas elle-même « Martine,
abonnée P. O. P., rue de Médicis? » Son correspondant s'expliquait
d'ailleurs décemment:

Mademoiselle,

Depuis des mois, je consulte la vitrine du P. O. P. Au début, je feignais de m'intéresser aux rubriques locatives.* Peu à peu, j'en suis venu à examiner franchement les deux ou trois douzaines de cartolines épinglées sous le panneau des mariages. Enfin, aujourd'hui, j'ai relevé trois numéros et loué une case* pour la domiciliation des réponses.

Cette lettre, cependant, n'a pas été tirée à triple exemplaire. Je croirais manquer de pudeur en vous expédiant une sorte de circulaire. Je tiens aussi à vous dire, sans plus attendre, que je n'emploie pas ici mon véritable prénom. Malgré l'usage, je n'ai pas cru malséant de dactylographier la présente. Sans doute mon écriture vous eût-elle révélé quelques traits de mon caractère, mais je me méfie de telles interprétations. Pour ne pas être moi-même tenté d'interroger les barres de vos T et les boucles de vos S, je vous demande d'adopter la même réserve. Ainsi pendant quelque temps jouirons-nous d'une aisance absolue; d'inconnu à inconnue, tout peut s'avouer et le ridicule même n'effarouche plus sa victime quand elle bénéficie de l'impersonnalité.

Je n'ai pas l'intention d'y tomber. Nous sommes ici entre gens sérieux et j'imagine bien, d'après mes propres sentiments, quels peuvent être les vôtres. Ayons le courage de le dire: je suis un vieux garçon et vous êtes une vieille fille. Le côté plaisant de notre état en masque impitoyablement le côté grave et la prétention de nous en remettre au hasard des agences nous expose moins au fou rire d'autrui qu'à notre propre méfiance.

A ces précautions oratoires faut-il ajouter de rassurants détails, tels que poids, taille, tour de poitrine, couleur des cheveux et des prunelles?... Je vous épargne et vous m'épargnerez ces mensurations* et ces descriptions classiques, utiles sans doute pour la vente des chevaux. Il suffit, je pense, d'affirmer ici que je ne souffre d'aucune tare physique.

D'aucune tare sentimentale, non plus: je n'ai personne à oublier. On ne devient pas célibataire, on le demeure. Ce verbe a parfois une telle puissance qu'il est inutile de chercher une autre explication...

Certes, si! Louise se connaissait assez pour trouver une autre explication. Elle lut rapidement la fin de la lettre et l'absence de détails précis ne l'empêcha point de se faire une opinion: cette vie effacée, cet égoïsme mineur, ce petit courage qui se cachait sous le nom de résignation, cet excès de prudence et de discrétion, bref, cette vocation de la grisaille* lui était familière. Fallait-il l'avouer? Elle n'avait aucune sympathie immédiate pour cet inconnu trop semblable à elle-même. Qui se ressemble ne s'assemble pas toujours.* Cependant elle éprouvait de la curiosité. La vie peut ne pas nous satisfaire et pourtant nous suffire. Pourquoi celle de l'inconnu ne lui suffisait-elle plus? Question mal posée: pourquoi la vie de Louise ne lui suffisait-elle plus? Elle relut la lettre entière, nota que les M étaient décalés.* « Machine à réviser »,* fit-elle mentalement. Puis elle rentra chez elle et, son dîner expédié, se mit à griffonner* un brouillon* de quatre pages.

— Que fais-tu? murmura son frère, qui enchaîna brusquement et lui servit cet étrange coq-à-l'âne:* Louise, tu devrais te décider à passer chez le coiffeur. Tu as grand besoin d'une mise en plis.*

— On verra! répondit-elle sèchement, décidée à manquer de courtoisie puisque Robert semblait manquer de discrétion. Elle ajouta immédiatement: « Et toi... quand te décideras-tu à liquider ces horribles vases chinois? »

— J'y pense, aimable sœur! conclut Robert, qui passa dans sa chambre sans grogner le bonsoir traditionnel.

Louise soupira et son correspondant bénéficia aussitôt d'une petite chaleur: cet autre employé de bureau, ce second Robert montrait au moins du tact et de la délicatesse. La jeune fille remania* sa réponse, biffa* quelques phrases, en ajouta d'autres, moins neutres et surtout moins fades. Enfin sa lettre, très reléchée,* lui donna satisfaction:

> *Monsieur,*
> *Ne vous expliquez pas. Vous finiriez par dire, comme l'actrice: « Peut-on reprocher au diamant d'être solitaire? » Ni le vôtre ni le mien ne pèsent leur carat. Nous avons sans doute manqué d'amour, mais surtout d'aptitude à l'amour. Aujourd'hui l'important n'est pas de savoir pourquoi nous sommes devenus ou demeurés célibataires, mais pourquoi nous ne voulons plus l'être. A défaut de spontanéité, j'aime la rigueur des vocations tardives...*

Sur ce ton, Louise aligna deux pages, qu'elle recopia, le lendemain matin, sur la Remington de son bureau pour se conformer au désir de son correspondant.

Sa lettre expédiée, elle n'attendit plus une semaine, mais seulement quatre jours pour se présenter au P. O. P. La politesse, n'est-ce pas, exige que l'on ne fasse point attendre les gens. Elle ne trouva d'ailleurs aucun pli d'Edmond. L'employé lui remit deux lettres en retard qui provenaient, l'une d'un veuf et l'autre d'un divorcé. Mlle Dumond les déchira avec impatience : elle n'était pas de celles qui peuvent amorcer plusieurs aventures à la fois. Le surlendemain, toujours rien. Louise dut repasser cinq fois et cinq fois essuyer le sourire ironique du chauve, avant de trouver dans sa case une enveloppe commerciale qui lui permit de sourire à son tour : le M de Mademoiselle était décalé. Elle lut, très vite :

... Excusez mon retard volontaire. J'ai voulu choisir entre mes trois correspondantes. Vous seule, désormais...

Louise sourit de plus belle et le chauve dit très haut, pour l'édification de nouvelles venues :

— Vous voyez, nos clients trouvent toujours chaussure à leur pied.

Mais déjà, de paragraphe en paragraphe, Louise arrivait à celui-ci :

... On parle du démon de midi : pourquoi ne pas croire à l'ange de midi ? Nous pouvons être de ceux pour qui la vie commence à quarante ans. Nous...

Nous ! Nouveau pronom ! Louise regagna en courant la rue de l'Estrapade, mais en passant devant le coiffeur de son quartier, sans savoir pourquoi, elle prit un rendez-vous pour le lendemain.

Six mois. Cette correspondance, peu à peu devenue bihebdomadaire* mais restée anonyme, dura six mois. Cinquante lettres s'accumulèrent dans le tiroir de la table de nuit de Louise, cinquante lettres qui n'étaient pas des lettres d'amour, mais qu'elle en vint très rapidement à considérer comme telles. Louise n'était pourtant pas satisfaite de leur contenu. Sans jamais préciser ce qu'il appelait « l'accessoire médiocre de sa vie », Edmond y faisait de constantes allusions. Jamais une plainte, mais le ton de la ferveur déçue et l'obsession du passé inutile. Il semblait n'envisager l'avenir que comme un moyen de combler ce passé, tant il est vrai qu'une vie sans avenir est souvent une vie sans souvenir.

Une intimité sans détails, une complicité lointaine s'établissait entre eux. Un beau jour, l'M décalé de Mademoiselle fut remplacé par celui de Martine, tout court. Ils étaient sur le bord de la familiarité et ne se connaissaient toujours pas. « *Il est probable,* avouait Edmond, *que je vous décevrai* le jour où je vous rencontrerai pour la première fois. Je ne vous

cache rien, mais pour abolir un être, il suffit parfois de ne plus l'imaginer. »
C'était aussi ce que craignait Louise, mais cette peur la transformait:
« Louise » faisait des concessions à « Martine ». Certes, elle n'abandon-
nait ni ses goûts ni ses habitudes. Mais sans changer de nature on peut
changer d'humeur: il y a cent façons d'habiter en soi-même. L'indulgence
et la sympathie, qui n'étaient pas ses vertus cardinales, lui devenaient
accessibles. Elle faisait aussi quelques frais de toilette. De la négligence
à la mode, la distance était pour elle encore trop longue, mais il s'agissait
de s'habiller sans avoir l'air endimanché. Pendant quelque temps,
Louise fut en butte aux coups d'œil goguenards* de Robert. Puis à
l'ironie succéda l'étonnement et enfin une sorte d'intérêt ou d'inquiétude.
Devinait-il? Craignait-il de rester seul? Toujours est-il qu'après avoir
raillé sa sœur, il se mit au pas, daigna surveiller sa propre tenue. Louise
lui sut gré* de l'intention, s'aperçut que sa prévenance* le touchait,
qu'il essayait d'y répondre. Elle se reprochait d'avoir été trop sèche
avec lui: « Au fond, pensait-elle, ce n'est pas un mauvais bougre.*
Dommage qu'il n'ait pas cette richesse intime qu'on trouve chez
Edmond. »

Six mois! Louise avait deux fois renouvelé son abonnement au
P. O. P., quand lui parvint la cinquante-sixième et dernière lettre de son
correspondant. Elle était courte:

*Je pense, Martine, qu'il est temps de ne plus jouer à cache-cache. Nous
avons été très sérieux, très patients. Je vous connais assez bien maintenant
pour affronter la déception dont je vous ai parlé. Je vous attendrai samedi
à midi devant votre agence, rue de Médicis. Signe de ralliement: nous
déploierons chacun le dernier numéro de* l'Intransigeant.* *Je vous dirai
mon nom, mon adresse, en échange des vôtres. Ah! Martine, je suis sûr
d'éprouver quelque difficulté à vous appeler autrement. A bientôt. —*
EDMOND.

Ce soir-là, Louise rentra tout agitée: l'inquiétude dévorait son impatience. Robert se montra charmant, voire expansif. « Est-il si facile
de lire sur mon visage, pensait-elle, qu'il s'efforce d'égayer une anxiété
dont il ne connaît pas la cause? Je devrais peut-être le mettre au courant. » Elle n'eut pas le courage de doucher* cette gentillesse toute neuve
et passa trois jours dans une attente solennelle, un peu puérile, comparable à sa lointaine retraite de première communion.

Enfin le samedi arriva. Louise, qui ne travaillait pas ce jour-là, put employer la matinée à une minutieuse toilette. Elle était prête à onze heures, mais, à onze heures et quart, elle décida brusquement de mettre une robe moins habillée, par discrétion, et de se démaquiller, par honnêteté. Partie en retard, elle fit cependant un détour par le jardin du Luxembourg, à travers les grilles duquel on peut observer ce qui se passe en face, rue de Médicis.

Elle s'approcha discrètement. Un homme de taille moyenne était planté devant le P. O. P.: Edmond, à n'en pas douter, car il tenait un journal ouvert. Il lui tournait le dos. Louise ne pouvait voir de lui que son chapeau gris et son manteau bleu marine. Un détail lui sauta aux yeux: ce manteau venait d'être acheté, probablement en son honneur, et le célibataire ingénu avait oublié d'enlever l'étiquette. Intimidé ou soucieux de ne pas être reconnu, il considérait la vitrine avec persévérance. Louise attendit encore quelques minutes, mais comme Edmond ne bougeait pas, elle déplia son *Intransigeant*, quitta le jardin et franchit la chaussée. Au bruit de ses talons, l'homme pivota sur lui-même en portant instinctivement la main à son chapeau et demeura cloué sur place. *Le correspondant*, c'était Robert.

— Que fais-tu là? balbutia Louise.

Elle était devenue très pâle devant son frère, qui, lui, tournait à l'écarlate. Il se reprit cependant plus facilement qu'elle.

— Je viens voir, dit-il, si ma nouvelle annonce est en bonne place. J'en ai déjà fait mettre une, il y a six mois, afin de vendre ces vases chinois que tu détestes. Mais elle n'a rien donné.

Sa lèvre inférieure pendait, piteuse, et ses cils battaient très vite. Il avait glissé son journal derrière son dos et le repliait gauchement. « Non, mon bonhomme, non, pensa-t-elle aussitôt, nous ne pouvons pas feindre. Notre vie deviendrait intolérable. »

— Comment allez-vous, Edmond? fit-elle en éclatant de rire.

Alors Robert eut le seul geste qui convenait à l'aventure: il attira sa sœur contre lui et l'embrassa, tandis qu'il reprenait d'une voix fêlée:

— Le plus drôle, c'est qu'en effet nous pourrions nous marier: nous n'y avions jamais pensé!

Bien entendu, Louise n'a pas épousé Robert. Elle le pourrait: il n'est que le fils de son beau-père. Ils ne sont pas vraiment frère et sœur. Mais ils ont vécu comme tels depuis toujours: leur mariage serait un véritable inceste moral. Au surplus, ils se sont vus depuis trop d'années avec les yeux impitoyables de l'intimité, avec ces yeux qui ont noté par le menu ces navrants petits détails de caractère, de visage et de costume. Ils s'aiment *bien*, peut-être mieux, mais ce ne sera jamais de l'amour. Enfin et surtout, comme l'a remarqué Robert, *ils n'y avaient jamais pensé*: certaines suggestions ne s'acceptent pas du hasard.

Pourtant ils ne regrettent rien. Tous deux savent maintenant ce qu'ils sont, ce qu'ils peuvent l'un pour l'autre. Leur vie n'a pas changé, mais ils ne désirent plus qu'elle change. Ils ne demeurent pas célibataires, cette fois: ils ont choisi de le rester. Certes, Robert sera toujours Robert, bougon,* important, ennuyeux. Mais il a perdu — pour elle seule — le goût de la distance, et quand, d'aventure, il s'éloigne et la considère comme jadis, à bout de regard, Louise n'a plus qu'à lui toucher le bras en murmurant:

— Edmond!

Et l'Ange de midi, qui passe dans leur silence, fait battre vivement leurs paupières fripées.

© Grasset, 1951

NOTES

page 35   une succursale – *a branch-office*
page 36   une boniche empêtrée dans son orthographe – *a scivvy in a mess with her spelling*

une grande bringue – *a great gawk of a woman*

les cartolines matrimoniales – *matrimonial advertisements*

éplucher – *to examine closely*

un sous-ordre – *an underling*

Avait-elle donc le type classique de l'esseulée? – *Did she really look like a typical lonely heart?*

Ici rien n'équivoque – *There's nothing shady here*

pratiquer la politique du héron – *to wait for something better to turn up. Cf the heron in La Fontaine*, Fables, II.4

page 37 des limaces – *disappointments. Literally the word means slugs.*
See *La Fontaine*, Fables, II.4

yeux vairons – *wall-eyes*

casier judiciaire – *police record*

recroquevillé dans son indignation – *seething with indignation*

page 38 ronchonner – *to grumble; to grouse*

chatouilleux – *sensitive; touchy*

pactiser – *to mix; to become mingled*

un huilier – *an oil-can*

grincheux – *grumpy*

plus honnête qu'une chaisière – *more honest than the day is long. Literally une* chaisière *is an elderly woman who looks after the chairs in French churches and collects a small fee for their use*

plus régulier que la trotteuse de son oignon – *more reliable than the seconds-hand on his watch.*

page 39 la filasse – *tow*

leur insolente carnation de celluloïd – *the cheeky pink bloom of their celluloid cheeks*

la plaque de fonte – *the cast-iron man-hole cover*

simplettes – *artless*

tiquer – *to wince*

page 40 rubriques locatives – *advertisements of rooms to let*

une case – *a box-number*

ces mensurations – *these measurements*

page 41 cette vocation de la grisaille – *this submissive ordinariness*

Qui se ressemble ne s'assemble pas toujours – *Birds of a feather don't always flock together. The French proverb is* 'Qui se ressemble s'assemble'

décalé – *displaced*

Machine à réviser – *That machine needs overhauling*

griffonner un brouillon – *to scribble out a rough draft*

un coq-à-l'âne – *a quip; a sally*

une mise en plis – *a perm.*

remanier – *to revise; to recast*

biffer – *to cross out*

très reléchée – *after many revisions*

page 42 bihebdomadaire – *twice-weekly*

page 42   décevoir – *to disappoint*
page 43   goguenards – *teasing; chaffing*

          savoir gré – *to be grateful*

          sa prévenance – *her kindness*

          ce n'est pas un mauvais bougre – *he isn't a bad fellow*

            In French the word *bougre* has no vulgar connotation

          l'*Intransigeant* – an important Parisian newspaper which was
            very influential during the nineteen-thirties

          doucher – *to pour cold water on*
page 45   bougon – *grumpy*

Albert Camus

Albert Camus was born on November 7th, 1913, at Mondovi, Algeria. He was the son of a farm labourer, but, despite the family's difficulties, he managed to pursue his studies successfully and eventually proceeded to read philosophy at the *Université d'Alger*. He was a more than competent sportsman, but the state of his health was not over-strong, and he was forced to abandon his studies for medical reasons. For some four years, 1934–38, he directed an amateur theatrical group before taking up journalism and making his literary début with *L'Envers et l'endroit* in 1937 and *Noces* in 1938. In this same year he went to Paris to work as a journalist. The Second World War found him playing an active part in the Resistance movement, but he continued to write, and in 1942 he published *L'Etranger* and *Le Mythe de Sisyphe* in which he defines what he sees as the absurdity of man's condition. After the war he became editor of the newspaper *Combat*, a position which he occupied until 1947 when he resigned in order to devote himself to his writing. *La Peste* which appeared in 1947 takes up and develops the attitudes displayed in his earlier works, a development carried further in *L'Homme révolté* (1951), *L'Eté* (1954), *La Chute* (1956) and *L'Exil et le royaume* (1957); *Les Muets* is taken from this latter work in which he showed himself to be disturbed by various social problems.

Camus skirted the post-war resurgence of existentialism, and indeed is often thought, perhaps mistakenly, to have been an existentialist. However, he had little sympathy with Sartre's attempts to define new moral codes, being more interested in practical morality and in social justice which he considered all the more important because he found the state of man to be absurd. He also wrote for the theatre, presenting *Le Malentendu* (1944), *Caligula* (1945), *L'Etat de siège* (1948) and *Les Justes* (1949), without achieving the same success as in his narrative works. A series of notes, articles and observations appeared under the title *Actuelles* between 1949 and 1958. He was awarded the Nobel Prize for literature in 1957, and it is beyond doubt that, but for his premature death in a road accident at Villeblevin in 1960, he would have continued to dominate the literary scene in France for many years. His *Carnets* have been published posthumously and give an indication of the direction his ideas were taking shortly before his death.

Les Muets

par ALBERT CAMUS

On était au plein de l'hiver et cependant une journée radieuse se levait sur la ville déjà active. Au bout* de la jetée, la mer et le ciel se confondaient dans un même éclat. Yvars, pourtant, ne les voyait pas. Il roulait lourdement le long des boulevards qui dominent le port. Sur la pédale fixe de la bicyclette, sa jambe infirme reposait, immobile, tandis que l'autre peinait pour vaincre les pavés encore mouillés de l'humidité nocturne. Sans relever la tête, tout menu sur sa selle, il évitait les rails de l'ancien tramway, il se rangeait* d'un coup de guidon brusque* pour laisser passer les automobiles qui le doublaient* et, de temps en temps, il renvoyait du coude, sur ses reins, la musette* où Fernande avait placé son déjeuner. Il pensait alors avec amertume au contenu de la musette. Entre les deux tranches de gros pain, au lieu de l'omelette à l'espagnole qu'il aimait, ou du bifteck frit dans l'huile, il avait seulement du fromage.

Le chemin de l'atelier ne lui avait jamais paru aussi long. Il vieillissait aussi. A quarante ans, et bien qu'il fût resté sec comme un sarment* de vigne, les muscles ne se rechauffent pas aussi vite. Parfois, en lisant des comptes rendus sportifs où l'on appelait vétéran un athlète de trente ans, il haussait les épaules. « Si c'est un vétéran, disait-il à Fernande, alors, moi, je suis déjà aux allongés.* » Pourtant, il savait que le journaliste n'avait pas tout à fait tort. A trente ans, le souffle fléchit déjà, imperceptiblement. A quarante, on n'est pas aux allongés, non, mais on s'y prépare, de loin, avec un peu d'avance. N'était-ce pas pour cela que depuis longtemps il ne regardait plus la mer, pendant le trajet qui le menait à l'autre bout de la ville où se trouvait la tonnellerie?* Quand il avait vingt ans, il ne pouvait se lasser de la contempler; elle lui promettait une fin de semaine heureuse, à la plage. Malgré ou à cause de sa boiterie,* il avait toujours aimé la nage. Puis les années avaient passé, il y avait eu Fernande, la naissance du garçon, et, pour vivre, les heures supplémentaires, à la tonnellerie le samedi, le dimanche chez des particuliers* où il bricolait.* Il avait perdu peu à peu l'habitude de ces journées violentes qui le rassasiaient. L'eau profonde et claire, le fort soleil, les filles, la vie du corps, il n'y avait pas d'autre bonheur* dans son pays. Et ce bonheur passait avec la jeunesse. Yvars continuait d'aimer la mer, mais seulement à la fin du jour quand les eaux de la baie fonçaient un peu. L'heure était douce sur la terrasse de sa maison où il s'asseyait après le travail, content de sa chemise propre que Fernande savait si bien repasser, et du verre d'anisette couvert de buée.* Le soir tombait, une douceur brève s'installait dans le ciel, les voisins qui parlaient avec Yvars baissaient soudain la voix. Il ne savait pas alors s'il était heureux, ou s'il avait envie de pleurer. Du moins, il était d'accord dans ces moments-là, il n'avait rien à faire qu'à attendre, doucement, sans trop savoir quoi.

Les matins où il regagnait son travail, au contraire, il n'aimait plus regarder la mer, toujours fidèle au rendez-vous, mais qu'il ne reverrait qu'au soir. Ce matin-là, il roulait, la tête baissée, plus pesamment encore que d'habitude : le cœur aussi était lourd. Quand il était rentré de la réunion, la veille au soir, et qu'il avait annoncé qu'on reprenait le travail : « Alors, avait dit Fernande joyeuse, le patron vous augmente ? » Le patron n'augmentait rien du tout, la grève* avait échoué. Ils n'avaient pas bien manœuvré, on devait le reconnaître. Une grève de colère, et le syndicat avait eu raison de suivre mollement. Une quinzaine d'ouvriers, d'ailleurs, ce n'était pas grand-chose ; le syndicat* tenait compte des autres tonnelleries qui n'avaient pas marché. On ne pouvait pas trop leur en vouloir.* La tonnellerie, menacée par la construction des bateaux et des camions-citernes,* n'allait pas fort. On faisait de moins en moins de barils et de bordelaises ;* on réparait surtout les grands foudres* qui existaient déjà. Les patrons voyaient leurs affaires compromises, c'était vrai, mais ils voulaient quand même préserver une marge de bénéfices ;* le plus simple leur paraissait encore de freiner les salaires, malgré la montée des prix. Que peuvent faire des tonneliers quand la tonnellerie disparaît ? On ne change pas de métier quand on a pris la peine d'en apprendre un ; celui-là était difficile, il demandait un long apprentissage. Le bon tonnelier, celui qui ajuste ses douelles* courbes, les resserre au feu et au cercle de fer,* presque hermétiquement, sans utiliser le rafia ou l'étoupe,* était rare. Yvars le savait et il en était fier. Changer de métier n'est rien, mais renoncer à ce qu'on sait, à sa propre maîtrise, n'est pas facile. Un beau métier sans emploi, on était coincé,* il fallait se résigner. Mais la résignation non plus n'est pas facile. Il était difficile d'avoir la bouche fermée, de ne pas pouvoir vraiment discuter et de reprendre la même route, tous les matins, avec une fatigue qui s'accumule, pour recevoir, à la fin de la semaine, seulement ce qu'on veut bien vous donner, et qui suffit de moins en moins.

Alors, ils s'étaient mis en colère. Il y en avait deux ou trois qui hésitaient, mais la colère les avait gagnés aussi après les premières discussions avec le patron. Il avait dit en effet, tout sec, que c'était à prendre ou à laisser. Un homme ne parle pas ainsi. « Qu'est-ce qu'il croit! avait dit Esposito, qu'on va baisser le pantalon? » Le patron n'était pas un mauvais bougre,* d'ailleurs. Il avait pris la succession du père, avait grandi dans l'atelier et connaissait depuis des années presque tous les ouvriers. Il les invitait parfois à des casse-croûte,* dans la tonnellerie; on faisait griller des sardines ou du boudin* sur des feux de copeaux* et, le vin aidant, il était vraiment très gentil. A la nouvelle année, il donnait toujours cinq bouteilles de vin fin à chacun des ouvriers, et souvent, quand il y avait parmi eux un malade ou simplement un événement, mariage ou communion, il leur faisait un cadeau d'argent. A la naissance de sa fille, il y avait eu des dragées pour tout le monde. Deux ou trois fois, il avait invité Yvars à chasser dans sa propriété du littoral. Il aimait bien ses ouvriers, sans doute, et il rappelait souvent que son père avait débuté comme apprenti. Mais il n'était jamais allé chez eux, il ne se rendait pas compte. Il ne pensait qu'à lui, parce qu'il ne connaissait que lui, et maintenant c'était à prendre ou à laisser. Autrement dit, il s'était buté* à son tour. Mais, lui, il pouvait se le permettre.

Ils avaient forcé la main au syndicat, l'atelier avait fermé ses portes. « Ne vous fatiguez pas pour les piquets de grève, avait dit le patron. Quand l'atelier ne travaille pas, je fais des économies. » Ce n'était pas vrai, mais ça n'avait pas arrangé les choses* puisqu'il leur disait en pleine figure qu'il les faisait travailler par charité. Esposito était fou

de rage et lui avait dit qu'il n'était pas un homme. L'autre avait le sang
chaud et il fallut les séparer. Mais, en même temps, les ouvriers avaient
été impressionnés. Vingt jours de grève, les femmes tristes à la maison,
deux ou trois d'entre eux découragés, et pour finir, le syndicat avait
conseillé de céder, sur la promesse d'un arbitrage et d'une récupération
des journées de grève par des heures supplémentaires. Ils avaient décidé
la reprise du travail. En crânant,* bien sûr, en disant que ce n'était pas
cuit,* que c'était à revoir. Mais ce matin, une fatigue qui ressemblait
au poids de la défaite, le fromage au lieu de la viande, et l'illusion
n'était plus possible. Le soleil avait beau briller,* la mer ne promettait
plus rien. Yvars appuyait sur son unique pédale et, à chaque tour de
roue, il lui semblait vieillir un peu plus. Il ne pouvait penser à l'atelier,
aux camarades et au patron qu'il allait retrouver, sans que son cœur
s'alourdît un peu plus. Fernande s'était inquiétée : « Qu'est-ce que
vous allez lui dire ? — Rien. » Yvars avait enfourché sa bicyclette, et
secouait la tête. Il serrait les dents ; son petit visage brun et ridé, aux
traits fins, s'était fermé. « On travaille. Ça suffit. » Maintenant il
roulait, les dents toujours serrées, avec une colère triste et sèche qui
assombrissait jusqu'au ciel lui-même.

Il quitta le boulevard, et la mer, s'engagea dans les rues humides du
vieux quartier espagnol. Elles débouchaient dans une zone occupée
seulement par des remises,* des dépôts de ferraille et des garages, où
s'élevait l'atelier : une sorte de hangar, maçonné jusqu'à mi-hauteur,
vitré ensuite jusqu'au toit de tôle ondulée.* Cet atelier donnait sur
l'ancienne tonnellerie, une cour encadrée de vieux préaux,* qu'on avait
abandonnée lorsque l'entreprise s'était agrandie et qui n'était plus
maintenant qu'un dépôt de machines usagées et de vieilles futailles.* Au
delà de la cour, séparé d'elle par une sorte de chemin couvert en vieilles
tuiles commençait le jardin du patron au bout duquel s'élevait la
maison. Grande et laide, elle était avenante, cependant, à cause de sa
vigne vierge* et du maigre chèvrefeuille qui entourait l'escalier extérieur.

Yvars vit tout de suite que les portes de l'atelier étaient fermées. Un
groupe d'ouvriers se tenait en silence devant elles. Depuis qu'il travaillait ici, c'était la première fois qu'il trouvait les portes fermées en
arrivant. Le patron avait voulu marquer le coup.* Yvars se dirigea vers
la gauche, rangea sa bicyclette sous l'appentis* qui prolongeait le
hangar de ce côté et marcha vers la porte. Il reconnut de loin Esposito,

un grand gaillard* brun et poilu qui travaillait à côté de lui, Marcou, le
délégué syndical, avec sa tête de tenorino,* Saïd, le seul Arabe de
l'atelier, puis tous les autres qui, en silence, le regardaient venir. Mais
avant qu'il les eût rejoints, ils se retournèrent soudain vers les portes de
l'atelier qui venaient de s'entrouvrir. Ballester, le contremaître,*
apparaissait dans l'embrasure. Il ouvrait l'une des lourdes portes et,
tournant alors le dos aux ouvriers, la poussait lentement sur son rail de
fonte.*

Ballester, qui était le plus vieux de tous, désapprouvait la grève;
mais s'était tu à partir du moment où Esposito lui avait dit qu'il servait
les intérêts du patron. Maintenant, il se tenait près de la porte, large et
court dans son tricot bleu marine, déjà pieds nus (avec Saïd, il était le
seul qui travaillât pieds nus) et il les regardait entrer un à un, de ses
yeux tellement clairs qu'ils paraissaient sans couleur dans son vieux
visage basané,* la bouche triste sous la moustache épaisse et tombante.
Eux se taisaient, humiliés de cette entrée de vaincus, furieux de leur
propre silence, mais de moins en moins capables de le rompre à mesure
qu'il se prolongeait. Ils passaient, sans regarder Ballester dont ils
savaient qu'il exécutait un ordre en les faisant entrer de cette manière, et
dont l'air amer et chagrin les renseignait sur ce qu'il pensait. Yvars, lui,
le regarda. Ballester, qui l'aimait bien, hocha la tête sans rien dire.

Maintenant, ils étaient tous au petit vestiaire, à droite de l'entrée : des
stalles* ouvertes, séparées par des planches de bois blanc où l'on avait
accroché, de chaque côté, un petit placard fermant à clé; la dernière
stalle à partir de l'entrée, à la rencontre des murs du hangar, avait été
transformée en cabine de douches, au-dessus d'une rigole d'écoulement*
creusée à même le sol de terre battue. Au centre du hangar, on voyait,
selon les places de travail, des bordelaises déjà terminées, mais cerclées
lâches,* et qui attendaient le forçage au feu,* des bancs épais creusés
d'une longue fente (et pour certains d'entre eux des fonds de bois
circulaires, attendant d'être affûtés* à la varlope,* y étaient glissés), des
feux noircis enfin. Le long du mur, à gauche de l'entrée, s'alignaient les
établis.* Devant eux s'entassaient les piles de douelles à raboter.*
Contre le mur de droite, non loin du vestiaire, deux grandes scies
mécaniques, bien huilées, fortes et silencieuses, luisaient.

Depuis longtemps, le hangar était devenu trop grand pour la poignée
d'hommes qui l'occupaient. C'était un avantage pendant les grandes

chaleurs, un inconvénient l'hiver. Mais aujourd'hui, dans ce grand espace, le travail planté là, les tonneaux échoués dans les coins, avec l'unique cercle qui réunissait les pieds des douelles épanouies dans le haut, comme de grossières fleurs de bois, la poussière de sciure qui recouvrait les bancs, les caisses d'outils et les machines, tout donnait à l'atelier un air d'abandon. Ils le regardaient, vêtus maintenant de leurs vieux tricots, de leurs pantalons délavés et rapiécés, et ils hésitaient. Ballester les observait. « Alors, dit-il, on y va? » Un à un, ils gagnèrent leur place sans rien dire. Ballester allait d'un poste à l'autre et rappelait brièvement le travail à commencer ou à terminer. Personne ne répondait. Bientôt, le premier marteau résonna contre le coin de bois ferré qui enfonçait un cercle sur la partie renflée d'un tonneau, une varlope gémit dans un nœud de bois, et l'une des scies, lancée par Esposito, démarra avec un grand bruit de lames froissées.* Saïd, à la demande, apportait des douelles, ou allumait les feux de copeaux sur lesquels on plaçait les tonneaux pour les faire gonfler dans leur corset de lames ferrées. Quand personne ne le réclamait, il rivait aux établis, à grands coups de marteau, les larges cercles rouillés. L'odeur des copeaux brûlés commençait de remplir le hangar. Yvars, qui rabotait et ajustait les douelles taillées par Esposito, reconnut le vieux parfum et son cœur se desserra un peu.* Tous travaillaient en silence, mais une chaleur, une vie renaissaient peu à peu dans l'atelier. Par les grands vitrages, une lumière fraîche remplissait le hangar. Les fumées bleuissaient dans l'air doré; Yvars entendit même un insecte bourdonner près de lui.

A ce moment, la porte qui donnait dans l'ancienne tonnellerie s'ouvrit sur le mur du fond, et M. Lassalle, le patron, s'arrêta sur le seuil. Mince et brun, il avait à peine dépassé la trentaine. La chemise blanche largement ouverte sur un complet de gabardine beige, il avait l'air à l'aise dans son corps. Malgré son visage très osseux, taillé en lame de couteau, il inspirait généralement la sympathie, comme la plupart des gens que le sport* a libérés dans leurs attitudes. Il semblait pourtant un peu embarrassé en franchissant la porte. Son bonjour fut moins sonore que d'habitude; personne en tout cas n'y répondit. Le bruit des marteaux hésita, se désaccorda un peu, et reprit de plus belle.* M. Lassalle fit quelques pas indécis, puis il avança vers le petit Valery, qui travaillait avec eux depuis un an seulement. Près de la scie mécanique, à quelques pas d'Yvars, il plaçait un fond sur une bordelaise et le patron le regardait faire. Valery continuait à travailler, sans rien dire. « Alors, fils, dit M. Lassalle, ça va ? » Le jeune homme devint tout d'un coup plus maladroit dans ses gestes. Il jeta un regard à Esposito qui, près de lui, entassait sur ses bras énormes une pile de douelles pour les porter à Yvars. Esposito le regardait aussi, tout en continuant son travail, et Valery repiqua le nez dans sa bordelaise sans rien répondre au patron. Lassalle, un peu interdit, resta un court moment planté devant le jeune homme, puis il haussa les épaules et se retourna vers Marcou. Celui-ci, à califourchon* sur son banc, finissait d'affûter, à petits coups lents et précis, le tranchant* d'un fond. « Bonjour, Marcou », dit Lassalle, d'un ton plus sec. Marcou ne répondit pas, attentif seulement à ne tirer de son bois que de très légers copeaux. « Qu'est-ce qui vous prend, dit Lassalle d'une voix forte et en se tournant cette fois vers les autres ouvriers. On n'a pas été d'accord, c'est entendu. Mais ça n'empêche pas qu'on doive travailler ensemble. Alors, à quoi ça sert ? » Marcou se leva, souleva son fond, vérifia du plat de la main le tranchant circulaire, plissa ses yeux langoureux avec un air de grande satisfaction et, toujours silencieux, se dirigea vers un autre ouvrier qui assemblait une bordelaise. Dans tout l'atelier, on n'entendait que le bruit des marteaux et de la scie mécanique. « Bon, dit Lassalle, quand ça vous aura passé, vous me le ferez dire par Ballester. » A pas tranquilles, il sortit de l'atelier.

Presque tout de suite après, au-dessus du vacarme de l'atelier, une sonnerie retentit deux fois. Ballester, qui venait de s'asseoir pour rouler une cigarette, se leva pesamment et gagna la petite porte du fond. Après son départ, les marteaux frappèrent moins fort ; l'un des ouvriers venait même de s'arrêter quand Ballester revint. De la porte, il dit seulement : « Le patron vous demande, Marcou et Yvars. » Le premier mouvement d'Yvars fut d'aller se laver les mains, mais Marcou le saisit au passage par le bras et il le suivit en boitant.

Au dehors, dans la cour, la lumière était si fraîche, si liquide, qu'Yvars la sentait sur son visage et sur ses bras nus. Ils gravirent l'escalier extérieur, sous le chèvrefeuille où apparaissaient déjà quelques fleurs. Quand ils entrèrent dans le corridor tapissé de diplômes, ils entendirent des pleurs d'enfant et la voix de M. Lassalle qui disait : « Tu la coucheras après le déjeuner. On appellera le docteur si ça ne lui passe pas. » Puis le patron surgit dans le corridor et les fit entrer dans le petit bureau qu'ils connaissaient déjà, meublé de faux rustique, les murs ornés de trophées sportifs. « Asseyez-vous », dit Lassalle en prenant place derrière son bureau. Ils restèrent debout. « Je vous ai fait venir parce que vous êtes, vous, Marcou, le délégué et, toi, Yvars, mon plus vieil employé après Ballester. Je ne veux pas reprendre les discussions qui sont maintenant finies. Je ne peux pas, absolument pas, vous donner ce que vous demandez. L'affaire a été réglée, nous sommes arrivés à la conclusion qu'il fallait reprendre le travail. Je vois que vous m'en voulez* et ça m'est pénible, je vous le dis comme je le sens. Je veux simplement ajouter ceci : ce que je ne peux pas faire aujourd'hui, je pourrai peut-être le faire quand les affaires reprendront. Et si je peux le faire, je le ferai avant même que vous me le demandiez. En attendant, essayons de travailler en accord. » Il se tut, sembla réfléchir, puis leva les yeux sur eux. « Alors ? » dit-il. Marcou regardait au-dehors. Yvars, les dents serrées, voulait parler, mais ne pouvait pas. « Ecoutez, dit Lassalle, vous vous êtes tous butés. Ça vous passera. Mais quand vous serez devenus raisonnables, n'oubliez pas ce que je viens de vous dire. » Il se leva, vint vers Marcou et lui tendit la main. « Chao !* » dit-il. Marcou pâlit d'un seul coup, son visage de chanteur de charme se durcit et, l'espace d'une seconde, devint méchant. Puis il tourna brusquement les talons et sortit. Lassalle, pale aussi, regarda Yvars sans lui tendre la main. « Allez vous faire foutre »,* cria-t-il.

Quand ils rentrèrent dans l'atelier, les ouvriers déjeunaient. Ballester était sorti. Marcou dit seulement : « Du vent », et il regagna sa place de travail. Esposito s'arrêta de mordre dans son pain pour demander ce qu'ils avaient répondu ; Yvars dit qu'ils n'avaient rien répondu. Puis, il alla chercher sa musette et revint s'asseoir sur le banc où il travaillait. Il commençait de manger lorsque, non loin de lui, il aperçut Saïd, couché sur le dos dans un tas de copeaux, le regard perdu vers les verrières, bleuies par un ciel maintenant moins lumineux. Il lui demanda s'il avait déjà fini. Saïd dit qu'il avait mangé ses figues. Yvars s'arrêta de manger. Le malaise qui ne l'avait pas quitté depuis l'entrevue avec Lassalle disparaissait soudain pour laisser seulement place à une bonne chaleur. Il se leva en rompant son pain et dit, devant le refus de Saïd, que la semaine prochaine tout irait mieux. « Tu m'inviteras à ton tour », dit-il. Saïd sourit. Il mordait maintenant dans un morceau du sandwich d'Yvars, mais légèrement, comme un homme sans faim.

Esposito prit une vieille casserole et alluma un petit feu de copeaux et de bois. Il fit réchauffer du café qu'il avait apporté dans une bouteille. Il dit que c'était un cadeau pour l'atelier que son épicier lui avait fait quand il avait appris l'échec de la grève. Un verre à moutarde circula de main en main. A chaque fois, Esposito versait le café déjà sucré. Saïd l'avala avec plus de plaisir qu'il n'avait mis à manger. Esposito buvait le reste du café à même la casserole brûlante, avec des clappements de lèvres et des jurons. A ce moment, Ballester entra pour annoncer la reprise.

Pendant qu'ils se levaient et rassemblaient papiers et vaisselles dans leurs musettes, Ballester vint se placer au milieu d'eux et dit soudain que c'était un coup dur pour tous, et pour lui aussi, mais que ce n'était pas une raison pour se conduire comme des enfants et que ça ne servait à rien de bouder.* Esposito, la casserole à la main, se tourna vers lui ; son épais et long visage avait rougi d'un coup. Yvars savait ce qu'il allait dire, et que tous pensaient en même temps que lui, qu'ils ne boudaient pas, qu'on leur avait fermé la bouche, c'était à prendre ou à laisser, et que la colère et l'impuissance font parfois si mal qu'on ne peut même pas crier. Ils étaient des hommes, voilà tout, et ils n'allaient pas se mettre à faire des sourires et des mines. Mais Esposito ne dit rien de tout cela, son visage se détendit enfin, et il frappa doucement l'épaule de Ballester pendant que les autres retournaient à leur travail. De nouveau les marteaux résonnèrent, le grand hangar s'emplit du vacarme familier, de l'odeur des copeaux et des vieux vêtements mouillés de sueur. La grande scie vrombissait et mordait dans le bois frais de la douelle qu'Esposito poussait lentement devant lui. A l'endroit de la morsure,* une sciure mouillée jaillissait et recouvrait d'une sorte de chapelure* de pain les grosses mains poilues, fermement serrées sur le bois, de chaque côté de la lame rugissante. Quand la douelle était tranchée, on n'entendait plus que le bruit du moteur.

Yvars sentait maintenant la courbature de son dos penché sur la varlope. D'habitude, la fatigue ne venait que plus tard. Il avait perdu son entraînement pendant ces semaines d'inaction, c'était évident. Mais il pensait aussi à l'âge qui fait plus dur le travail des mains, quand ce travail n'est pas de simple précision. Cette courbature lui annonçait aussi la vieillesse. Là où les muscles jouent, le travail finit par être maudit, il précède la mort, et les soirs de grands efforts, le sommeil justement est comme la mort. Le garçon voulait être instituteur, il avait raison, ceux qui faisaient des discours sur le travail manuel ne savaient pas de quoi ils parlaient.

Quand Yvars se redressa pour reprendre souffle et chasser aussi ces mauvaises pensées, la sonnerie retentit à nouveau. Elle insistait, mais d'une si curieuse manière, avec de courts arrêts et des reprises impérieuses, que les ouvriers s'arrêtèrent. Ballester écoutait, surpris, puis se décida et gagna lentement la porte. Il avait disparu depuis quelques secondes quand la sonnerie cessa enfin. Ils reprirent le travail. De nouveau, la porte s'ouvrit brutalement, et Ballester courut vers le vestiaire. Il en sortit, chaussé d'espadrilles, enfilant sa veste, dit à Yvars en passant: « La petite a eu une attaque. Je vais chercher Germain », et courut vers la grande porte. Le docteur Germain s'occupait de l'atelier; il habitait le faubourg. Yvars répéta la nouvelle sans commentaires. Ils étaient autour de lui et se regardaient, embarrassés. On n'entendait plus que le moteur de la scie mécanique qui roulait librement. « Ce n'est peut-être rien », dit l'un d'eux. Ils regagnèrent leur place, l'atelier se remplit de nouveau de leurs bruits, mais ils travaillaient lentement, comme s'ils attendaient quelque chose.

Au bout d'un quart d'heure, Ballester entra de nouveau, déposa sa veste et, sans dire un mot, ressortit par la petite porte. Sur les verrières, la lumière fléchissait. Un peu après, dans les intervalles où la scie ne mordait pas le bois, on entendit le timbre mat* d'une ambulance, d'abord lointaine, puis proche, et présente, maintenant silencieuse. Au bout d'un moment, Ballester revint et tous avancèrent vers lui. Esposito avait coupé le moteur. Ballester dit qu'en se déshabillant dans sa chambre, l'enfant était tombée d'un coup, comme si on l'avait fauchée. « Ça, alors! » dit Marcou. Ballester hocha la tête et eut un geste vague vers l'atelier; mais il avait l'air bouleversé. On entendit à nouveau le timbre de l'ambulance. Ils étaient tous là, dans l'atelier silencieux, sous les flots de lumière jaune déversés par les verrières, avec leurs rudes mains inutiles qui pendaient le long des vieux pantalons couverts de sciure.

Le reste de l'après-midi se traîna. Yvars ne sentait plus que sa fatigue et son cœur toujours serré. Il aurait voulu parler. Mais il n'avait rien à dire et les autres non plus. Sur leurs visages taciturnes se lisaient seulement le chagrin et une sorte d'obstination. Parfois, en lui, le mot malheur se formait, mais à peine, et il disparaissait aussitôt comme une bulle* naît et éclate en même temps. Il avait envie de rentrer chez lui, de retrouver Fernande, le garçon, et la terrasse aussi. Justement, Ballester annonçait la clôture. Les machines s'arrêtèrent. Sans se presser, ils commencèrent d'éteindre les feux et de ranger leur place, puis ils gagnèrent un à un le vestiaire. Saïd resta le dernier, il devait nettoyer les lieux de travail, et arroser le sol poussiéreux. Quand Yvars arriva au vestiaire, Esposito, énorme et velu, était déjà sous la douche. Il leur tournait le dos, tout en se savonnant à grand bruit. D'habitude, on le plaisantait sur sa pudeur; ce grand ours, en effet, dissimulait obstinément ses parties nobles. Mais personne ne parut s'en apercevoir ce jour-là. Esposito sortit à reculons et enroula autour de ses hanches une serviette en forme de pagne.* Les autres prirent leur tour et Marcou claquait vigoureusement ses flancs nus quand on entendit la grande porte rouler lentement sur sa roue de fonte. Lassalle entra.

Il était habillé comme lors de sa première visite, mais ses cheveux étaient un peu dépeignés. Il s'arrêta sur le seuil, contempla le vaste atelier déserté, fit quelques pas, s'arrêta encore et regarda vers le vestiaire. Esposito, toujours couvert de son pagne, se tourna vers lui. Nu, embarrassé, il se balançait un peu d'un pied sur l'autre. Yvars pensa que c'était à Marcou de dire quelque chose. Mais Marcou se tenait, invisible, derrière la pluie d'eau qui l'entourait. Esposito se saisit d'une chemise, et il la passait prestement quand Lassalle dit: « Bonsoir », d'une voix un peu détimbrée,* et se mit à marcher vers la petite porte. Quand Yvars pensa qu'il fallait l'appeler, la porte se refermait déjà.

Yvars se rhabilla alors sans se laver, dit bonsoir lui aussi, mais avec tout son cœur, et ils lui répondirent avec la même chaleur. Il sortit rapidement, retrouva sa bicyclette et, quand il l'enfourcha, sa courbature. Il roulait maintenant dans l'après-midi finissant, à travers la ville encombrée. Il allait vite, il voulait retrouver la vieille maison et la terrasse. Il se laverait dans la buanderie* avant de s'asseoir et de regarder la mer qui l'accompagnait déjà, plus foncée que la matin, au-dessus des rampes du boulevard. Mais la petite fille aussi l'accompagnait et il ne pouvait s'empêcher de penser à elle.

A la maison, le garçon était revenu de l'école et lisait des illustrés. Fernande demanda à Yvars si tout s'était bien passé. Il ne dit rien, se lava dans la buanderie, puis s'assit sur le banc, contre le petit mur de la terrasse. Du linge reprisé* pendait au-dessus de lui, le ciel devenait transparent; par-delà le mur, on pouvait voir la mer douce du soir. Fernande apporta l'anisette, deux verres, la gargoulette* d'eau fraîche. Elle prit place près de son mari. Il lui raconta tout, en lui tenant la main, comme aux premiers temps de leur mariage. Quand il eut fini, il resta immobile, tourné vers la mer où courait déjà, d'un bout à l'autre de l'horizon, le rapide crépuscule. « Ah, c'est de sa faute! » dit-il. Il aurait voulu être jeune, et que Fernande le fût encore, et ils seraient partis, de l'autre côté de la mer.

from *L'exil et le royaume*, © Gallimard 1957

NOTES

page 50 Au bout de la jetée… – *The contrast of town and seascape or of town and desert is constantly in Camus' mind*

il se rangeait d'un coup de guidon brusque – *he pulled in with a sharp twist of the handle-bars*

doubler – *to overtake*

la musette – *the haversack*

un sarment – *a shoot; a stem*

je suis déjà aux allongés – *I'm ready for the grave*

la tonnellerie – *the cooperage*

page 51 sa boiterie – *his limp*

le dimanche chez des particuliers où il bricolait – *on Sundays at private homes where he did odd jobs*

L'eau profonde et claire… – *One of Camus' favourite themes: he is always at pains to contrast the aimlessness, or absurdity, of daily life with the sea whose vastness makes men insignificant, but also offers a prospect of some fleeting happiness*

couvert de buée – *misted over*

la grève – *the strike*

le syndicat – *the trade-union*

On ne pouvait pas trop leur en vouloir – *One couldn't really hold it against them*

des camions-citernes – *tanker-lorries*

page 51   une bordelaise – *a Bordeaux cask containing* 225 *litres*

un foudre – *a tun; a hogshead*

une marge de bénéfices – *a margin of profit*

page 52   une douelle – *a stave*

un cercle de fer – *an iron hoop*

l'étoupe – *tow; oakum*

coincé – *stuck*

bougre – *There is no vulgar connotation in French: it is best to translate by 'fellow'*

des casse-croûte – *a bite to eat*

du boudin – *black-pudding*

des feux de copeaux – *fires made with wood chippings*

il s'était buté – *he was obstinate*

ca n'avait pas arrangé les choses – *that hadn't improved matters*

page 53   En crânant – *putting on a bold front*

en disant que ce n'était pas cuit – *saying that the matter wasn't finished with*

Le soleil avait beau briller – *The sun was vainly trying to shine; there was no point in the sun shining*

des remises – *sheds; shacks*

tôle ondulée – *corrugated iron*

préaux – *covered walks*

de vieilles futailles – *old casks*

sa vigne vierge – *its Virginia creeper*

marquer le coup – *to show that it was he who had won*

l'appentis – *the lean-to shed*

page 54   un grand gaillard – *a strapping young fellow*

sa tête de tenorino – *his face like a tea-shop tenor's. By extension: his effeminate face*

le contremaître – *the overseer; the foreman*

son rail de fonte – *its cast-iron runner*

basané – *tanned; swarthy*

des stalles ouvertes – *open cubicles*

une rigole d'écoulement – *a drainage gutter*

cerclées lâches – *loosely hooped*

le forçage au feu – *bonding by heat*

page 54   être affûtés à la varlope – *trimming with a plane*
les établis – *the work-benches*
raboter – *to file down*

page 55   lames froissées – *a scraping of blades*
son coeur se desserra un peu – *his heart stopped beating quite so fast*
comme la plupart des gens que le sport a libérés dans leurs attitudes – *Camus always places great stress on the benefits to be derived from sport. He himself was a footballer of no mean prowess*
de plus belle – *worse than ever*

page 56   à califourchon – *astride*
le tranchant – *the edge*

page 57   Je vois que vous m'en voulez – *I can see that you've got it in for me*
Chao! – *a phonetic transcription of the Italian* ciao: *so long, goodbye*
Allez-vous faire foutre – *a vulgarism: go and get stuffed*
bouder – *to sulk*

page 58   la morsure – *the cut*
chapelure de pain – *bread-crumbs*

page 59   le timbre mat – *the dismal bell*

page 60   une bulle – *a bubble*
en forme de pagne – *shaped like a loin-cloth*
détimbrée – *cracked; falsetto*
la buanderie – *the wash-house*
Du linge reprisé – *patched clothes*

page 61   la gargoulette – *the water-jug*

Georges Duhamel

Georges Duhamel was the pseudonym of Denis Thévenin, born in Paris on the June 30th, 1884. He studied medicine and qualified as a doctor, a profession which he practised for some years. Nevertheless, his literary interests were always strong, and in the years before the First World War he published four volumes of poetry, some *Notes sur la technique poétique*, and three plays. He spent the war as a medical officer in various field hospitals, and he has recounted his experiences in *La Vie des martyrs* (1917), from which is taken the *Histoire de Carré et de Lerondeau*, in *Civilisation* (1918), which was awarded the Prix Goncourt, and in *Entretiens dans le tumulte* (1919).

In the years between the wars he devoted himself to his writing, and his output was prodigious. His major achievements were two *romans fleuve*, *Vie et aventures de Salavin* (1920–32), the life-story of a mediocre little clerk, and *La Chronique des Pasquier* (1933–45). The first volume, *Le Notaire du Havre*, is probably the best known and is based to some extent on personal reminiscences. Other works also appeared at regular intervals, and in 1935 he was elected to the *Académie Française*. He returned to medical practice in 1940, but turned once again to his writings after the fall of France. His memoirs appeared under the title of *Lumières sur ma vie* at intervals between 1944 and 1953. He also accepted the presidency of the *Alliance Française* for a time, and was the permanent secretary of the *Académie Française*. He continued to write on various subjects with the psychological insight and warm compassion which is so evident in this present story, until his death on April 13th 1966.

Histoire de Carré et de Lerondeau

par GEORGES DUHAMEL

Ils sont arrivés comme deux colis dans le même envoi, comme deux colis encombrants et misérables, pauvrement empaquetés et maltraités par la poste. Deux formes humaines empêtrées* de linges et de lainages,* sanglées* dans d'étranges appareils dont l'un enfermait tout l'homme, comme un cercueil de zinc et de fil de fer.

Ils paraissaient sans âge; ou plutôt, n'avaient-ils pas tous deux mille ans et plus, l'âge même des momies ficelées dans le fond des sarcophages?

On les a lavés, peignés, décortiqués* et déposés avec bien des précautions dans des draps propres; alors on a pu voir que l'un conservait un visage de vieillard et que l'autre n'était encore qu'un enfant.

Leurs lits se font face dans la même salle grise. Dès l'entrée, on les remarque tout de suite: l'immense misère leur donne un air de parenté. A côté d'eux, les autres blessés semblent heureux et bien portants. Mais, dans ce séjour de la souffrance, ils sont les rois; leur couche est entourée d'un respect, d'un silence qui conviennent bien à la majesté.

Je m'approche du plus jeune et me penche.

— Comment t'appeles-tu?

Un murmure traversé d'un regard suppliant me répond. Ce que j'entends est à peu près: Mahihehondo. C'est un soupir avec des modulations.

Il me faudra plus d'une semaine pour comprendre que le nouvel enfant s'appelle Marie Lerondeau.

Le lit d'en face est moins confus. Je vois une petite tête édentée.* D'entre les touffes de barbe sort une voix paysanne, au timbre brisé, mais émouvant et presque mélodieux. Il y a là un homme qui s'appelle Carré.

Ils ne sont pas venus du même champ de bataille, mais ils ont été touchés* presque en même temps, et ils ont reçu la même blessure. Ils ont, tous deux, la cuisse cassée par une balle. Le hasard les a réunis dans la même ambulance* lointaine, où leurs plaies ont achevé de s'envenimer.* A compter de ce jour, ils ne se sont plus quittés, et les voilà finalement enveloppés dans le même regard bleu du maître.*

Il les contemple tous deux, et il n'a qu'un hochement de tête; vraiment, voilà de la pénible besogne!* Il n'y a qu'à se demander lequel des deux va mourir le premier, tant elles sont nombreuses pour tous deux les raisons de ne plus vivre.

L'homme à la barbe blanche les contemple en silence, et il tourne et retourne dans sa main le couteau savant.*

Il n'y aura de connaissance possible qu'après ce grave débat. Il va falloir que l'âme s'absente, car cette heure n'est pas la sienne. Il faut maintenant que le couteau divise la chair, et mette au jour* les ravages, et fasse toute son œuvre.

Les deux camarades s'endorment donc, de cet affreux sommeil où chaque homme ressemble à son cadavre. Désormais la lutte est engagée. Nous avons refermé les mains sur ces deux corps; on ne nous les arrachera pas aisément.

Passé le réveil nauséeux,* passées les tranchantes souffrances du début, je découvre peu à peu mes nouveaux amis.

Cela demande beaucoup de temps et de patience. L'heure du pansement est propice. L'homme est nu, sur une table. On le voit tout entier, et tout entières aussi et béantes,* ces grandes plaies, objets de tant d'inquiétude et d'espoir.

L'après-midi n'est pas moins favorable à la communion, mais c'est autre chose. Le calme est survenu et ces deux êtres ont cessé d'être uniquement une jambe douloureuse, et une bouche qui crie.

Carré a pris tout de suite de l'avance.* Il a fait un véritable bond. Alors que Lerondeau semble encore emmaillotté* dans une hébétude* plaintive, Carré, déjà, m'enveloppe d'un regard affectueux et profond. Il me dit:

— Il faut faire tout ce qu'il faut.

Lerondeau ne sait encore que chanter une phrase à peine articulée:

— Faut pas* me faire de mal!

Dès que j'ai pu distinguer et comprendre les paroles de l'enfant, je l'ai appelé par son petit nom. Je lui dis:

— Comment vas-tu, Marie?

Ou bien:

— Je suis content de toi, Marie.

Cette familiarité lui convient, autant que le tutoiement. Il a bien deviné que je tutoie seulement ceux qui souffrent beaucoup et que j'aime avec prédilection. Alors, je lui dis: « Marie, ta plaie est bien belle aujourd'hui. » Et tout le monde, dans l'hôpital, l'appelle également Marie.

Quand il n'est pas sage, je dis:

— Vous n'êtes pas raisonnable, Lerondeau!

Et, tout de suite, ses yeux se remplissent de larmes. Certain jour j'ai dû recourir à «Monsieur Lerondeau! » et il a eu un tel chagrin que je me suis rétracté sur l'heure... Il se retient toutefois de gourmander* son infirmier et de crier trop fort au pansement, car il sait que le jour où je lui dirai: « Taisez-vous, Monsieur! » — Monsieur tout court, — nos relations seront des plus tendues.

Dès les premiers jours, Carré a montré qu'il était un homme. Comme j'entrais dans le vestibule de la salle de pansements, j'ai trouvé les deux amis couchés côte à côte, sur des brancards* posés par terre. Carré avait sorti un bras décharné de sous sa couverture et faisait à Marie un véritable discours sur le courage et l'espoir... J'écoutais cette voix chevrotante,* je regardais ce visage édenté, illuminé d'un sourire, et je sentais quelque chose de curieux se gonfler dans ma gorge, pendant que Lerondeau battait des paupières comme un enfant que l'on gronde. Alors je suis sorti, parce que cela se passait entre eux, au ras du sol, et que ça ne me regardait pas, moi qui suis un personnage bien portant et qui vis debout.

Carré a, depuis, prouvé qu'il avait le droit d'enseigner le courage au petit Lerondeau.

Lorsqu'on l'apporte au pansement, il reste par terre, avec les autres, en attendant son tour, et il parle peu. Il regarde gravement autour de lui, et sourit quand ses yeux rencontrent les miens. Il n'est pas fier, mais il n'est pas de ceux qui lient conversation à tort et à travers.* On n'est pas ici pour plaisanter, mais pour souffrir, et Carré se recueille* pour souffrir aussi bien que possible.

Quand il n'est pas sûr de sa préparation, il me prévient et me dit:

— Je n'ai pas toutes mes forces aujourd'hui.

Le plus souvent, « il a toutes ses forces »; mais il est si maigre, si minable,* si réduit* devant l'immense devoir, qu'il est parfois obligé de battre en retraite. Il le fait avec honneur, avec grandeur. Il vient de dire: « Le genou me fait bien mal », et sa phrase s'achève presque dans un cri. Alors, sentant qu'il va hurler comme les autres, Carré se met à chanter.

La première fois que la chose est arrivée, je ne comprenais pas très bien ce qui se passait. Il répétait sans cesse la même phrase: « Oh! la douleur du genou! » Et, peu à peu, j'ai senti que cette lamentation devenait une vraie musique et, pendant cinq grandes minutes, Carré a improvisé une chanson terrible, admirable et déchirante sur « la douleur du genou »! Depuis, il en a pris l'habitude et il se met brusquement à chanter dès qu'il ne se sent plus maître de son silence.

Entre ses inventions, il a recours à de vieux airs; je préfère ne pas regarder son visage quand il commence: « Il n'est ni beau ni grand, mon verre. » D'ailleurs, j'ai, pour ne le pas regarder, l'excuse d'avoir fort à faire* avec cette jambe qui me tourmente passablement, et qu'il faut manier* avec un monde de précautions.

Je fais « tout ce qu'il faut faire » et, profondément, à plusieurs reprises,* j'introduis la brûlante teinture d'iode. Carré l'éprouve; aussi lorsque, passant une heure plus tard près de son coin, je prêterai l'oreille, je l'entendrai s'exercer d'une voix tremblante et mélodieuse à chanter lentement sur ce thème: « Il m'a mis de la teinture d'iode. »

Carré est fier de montrer du courage.

Il semblait, ce matin, si privé de ses forces qu'il n'y avait plus qu'à faire vite* et à se fermer les oreilles. Mais voilà qu'un étranger est entré dans la salle. Carré a tourné légèrement la tête, il a vu le visiteur et, en plissant profondement son front, il a entonné:

« Il n'est ni beau ni grand, mon verre ! »

Le monsieur l'a regardé avec des yeux humides, et, plus il le regardait, plus Carré souriait, souriait, en serrant les bords de la table de ses deux mains crispées.*

Lerondeau a de bonnes dents solides. Carré n'a que de noirs chicots.*
J'en suis malheureux, car il faut de bonnes dents quand on a la cuisse
brisée.

Lerondeau n'est encore qu'un moribond, mais un moribond qui
mange. Il enfonce dans la viande une mâchoire bien armée; il mord
avec une énergie animale et semble s'accrocher à quelque chose de
résistant.

Carré, lui, mangerait bien; mais que faire, avec de vieilles racines?

— D'ailleurs, ajoute-t-il, je n'ai jamais été bien carnivore.

Alors il aime mieux fumer. Pour son éternelle vie sur le dos, il a
inventé de placer contre sa poitrine un couvercle de boîte en carton; la
cendre des cigarettes tombe là-dedans, et Carré fume, sans bouger,
proprement.

Je regarde cette cendre, cette fumée, cette figure jaune, émaciée, et je
songe avec chagrin qu'il ne suffit pas de vouloir vivre, mais qu'il faut
avoir des dents.

Tout le monde ne sait pas souffrir, et, quand on sait, faut-il encore
s'y prendre de la belle façon* pour s'en tirer* avec honneur. Dès qu'il
est sur la table, Carré regarde autour de lui, et il demande:

— N'y aura-t-il personne pour me fouler* sur la tête, aujourd'hui?

S'il n'y a pas de réponse, il répète avec un peu d'angoisse:

— Qui donc va me fouler sur la tête aujourd'hui?

Alors une infirmière s'approche, lui prend la tête à deux mains, et
appuie... Je peux commencer: dès qu'on « lui foule sur la tête »,
Carré est bon.

Lerondeau n'a pas la même pratique. Il faut des mains dans ses
mains. Quand il n'en trouve pas, il hurle: « Je vas* tomber. »

Impossible de lui prouver qu'il est sur une table solide et qu'il ne
doit avoir aucune crainte. Il cherche des mains à saisir, et crie, la
sueur au front: « Je sens bien que je vas tomber.» Alors je désigne
quelqu'un pour lui tenir les mains, car on ne peut pas souffrir à peu
près, au hasard...

Chacun a ses cris, à l'heure du pansement. Ceux qui sont pauvres
n'en ont qu'un, un cri simple qui sert à tous.

Carré a beaucoup de cris, bien variés, et il ne dit pas la même chose

pour le moment où l'on enlève les compresses et pour le moment
où l'on passe la pince.*

Au fort* de l'épreuve, il s'exclame :

— Oh! la douleur du genou!

Puis, quand la douleur s'épuise, il hoche la tête et répète :

— Oh! le malheureux genou!

Quand la cuisse entre en scène, il s'exaspère :

— C'est cette cuisse, maintenant!

Et il redit cela, sans arrêt, de seconde en seconde. Alors on passe à
la plaie survenue sous le talon, et Carré commence :

— Mais qu'a-t-il donc, ce pauvre talon?

Enfin quand il est las de chanter, il halète* doucement, régulièrement :

— Ils ne savent pas ce qu'il me fait mal, ce misérable genou... Ils
ne savent pas ce qu'il me fait mal...

Lerondeau, qui n'est et ne sera jamais qu'un petit garçon à côté de
Carré, est fort pauvre en fait* de cris. Mais, comme il entend son ami se
plaindre, il retient ses cris et les lui emprunte. Je l'entends donc qui
commence :

— Oh! le pauvre genou... Ils ne savent pas ce qu'il me fait mal...

Un matin où il s'en donnait* à pleine gorge,* je lui ai demandé sérieusement :

— Pourquoi fais-tu les mêmes cris que Carré?

Marie n'est qu'un paysan, mais il m'a montré une figure réellement
offensée :

— Ce n'est pas vrai! Je fais pas les mêmes cris que lui...

Je n'ai rien ajouté, car il n'y a pas d'âmes si rudes qu'elles soient
insensibles à certaines piqûres.*

Marie m'a raconté sa vie et sa campagne. Comme il n'est pas très
éloquent, cela ne fait qu'un murmure confus où revient sans cesse la
même protestation :

— J'étais dur au travail, vous savez, dur comme une bête.

Et je ne peux pas imaginer qu'il y a eu un Marie Lerondeau, qui
était un jeune gars bien portant, fermement calé* entre les manches de
la charrue. Je ne connais qu'un homme couché, et j'ai même du mal à
me représenter la taille et l'aspect qu'il aura quand on pourra le mettre
debout...

Marie a fait très bien son devoir au feu* : « Il est resté seul avec les voitures, et, quand il s'est trouvé blessé, les Allemands lui ont flanqué de grands coups de bottes »…Voilà les plus sûrs résultats de mon enquête.

Lerondeau, par moments, cesse de babiller* et regarde au plafond, car c'est là qu'est le lointain et l'horizon des gens qui vivent sur le dos. Après un silence long et léger, il me regarde de nouveau et répète :

— Faut-il que j'aie eu de la bravoure pour rester seul avec les voitures !

A coup sûr, Lerondeau a eu de la bravoure, et je veux qu'on le sache. Quand il vient des étrangers, pendant le pansement, je leur montre Marie, tout prêt à gémir, et j'explique :

— C'est Marie ! Vous savez, Marie Lerondeau ! Il a la jambe cassée, mais c'est un homme qui a eu bien de la bravoure : il est resté seul avec les voitures !

Les étrangers hochent la tête d'admiration, et Marie se retient de crier. Il rougit un peu et son cou se gonfle à cause de l'orgueil. Avec les yeux, il fait un petit signe, comme pour dire : « Mais oui, seul, tout seul avec les voitures ! » Et, pendant ce temps, le pansement se trouve à peu près achevé.

Il faut que le monde entier sache que Marie est resté seul avec les voitures. Je me suis promis d'épingler ce témoignage sur la pension* du gouvernement.

Carré n'a vu le feu qu'une fois, et, tout de suite, il a reçu un coup de fusil. Il en demeure contrarié, car il avait une bonne provision de courage, et c'est entre les murs d'un hôpital qu'il lui faut la gaspiller.*

Il s'est avancé à travers un immense champ de betteraves, et il a couru, avec les autres, au-devant d'un fin brouillard blanc. Tout à coup, crac ! il est tombé : il avait la cuisse brisée. Il est tombé parmi les feuilles grasses, sur la terre toute gonflée d'eau.

Peu après, son sergent est repassé et lui a dit :

— Nous retournons à la tranchée, on viendra vous prendre plus tard.

Carré a dit simplement :

— Mettez-moi mon sac sous la tête.

Le soir approchait ; il s'est gravement préparé à passer la nuit parmi les betteraves. Et il y a passé la nuit, seul avec une petite pluie froide, à réfléchir, sérieusement, jusqu'au matin.

C'est bien heureux que Carré ait gardé tant de courage pour l'hôpital, car il en a grand besoin. Les opérations successives, les pansements, tout cela tarit les sources les plus généreuses.

Carré est apporté sur la table, et je sens dans son regard une résolution presque joyeuse. Aujourd'hui, « il a toutes ses forces au grand complet ».

Mais j'ai justement peu de chose à faire, peu de souffrances à imposer A peine a-t-il eu le temps de froncer les sourcils que, déjà, la minute est venue de refermer l'appareil.

Alors Carré fait un sourire trop grand pour sa face amaigrie, et il s'exclame :

— Déjà fini? Déjà fini? Remettez de l'éther, que ça pique au moins, que ça pique !

Il sait, Carré, il sait que le courage non utilisé aujourd'hui ne vaudra peut-être plus rien demain.

Et demain, et les jours suivants, Carré devra sans cesse faire appel à ces réserves d'âme, qui aident le corps à souffrir, en attendant les bonnes grâces de la nature.

Le nageur abandonné en pleine mer mesure son énergie et s'efforce de tous ses muscles pour durer à la surface. Mais que faire, mon Dieu! s'il n'y a pas de terre à l'horizon, et non plus au delà de l'horizon ?

Cette jambe perdue jusqu'aux moelles* semble peu à peu dévorer l'homme qui la possède, et nous la contemplons avec angoisse, et le maître aux cheveux blancs fixe sur elle deux petits yeux bleu-clair, accoutumés à évaluer les choses de la vie, et qui, cependant, hésitent, hésitent...

A mots voilés, je parle à Carré de l'encombrante jambe empoisonnée. Il montre un rire sans dents, et tranche,* pour sa part, d'un seul coup :

— Si c'est donc qu'elle gêne, la malheureuse, il faudra bien la rogner.*

Avec cet assentiment, on s'y décidera sans doute.

Cependant, Lerondeau glisse doucement vers le salut.

Couché sur le dos, maintenu dans les linges et la gouttière,* emprisonné par les coussins, il a quand même l'air d'un navire que la marée va mettre à flot dès l'aurore.

Il engraisse et, fait surnaturel, semble cependant de plus en plus léger. Il apprend à ne plus gémir, non que son âme fragile se hausse mais parce que la bête* est mieux nourrie et plus robuste.

Il a d'ailleurs une conception sommaire de l'énergie. Dès que j'entends son premier cri, dans la salle moite où l'on fait son pansement, je le réconforte du regard, et dis:

— Sois courageux, Marie! Tâche d'être énergique!

Alors il plisse le front, fait une grimace et demande:

— C'est-il qu'il faut que je dise Nom de Dieu?

La gouttière de zinc dans laquelle repose l'informe jambe* de Marie a fini par s'altérer, s'oxyder, se couper aux plis;* aussi ai-je décidé de la changer.

Je la retire, la considère et la jette dans un coin. Marie suit mes gestes d'un regard affolé. Pendant que j'applique la nouvelle gouttière, solide et confortable, mais différente d'aspect, il jette à l'ancienne un regard éloquent qui s'emplit de larmes véritables et abondantes.

Ce changement est une petite chose; mais, dans la vie des malades, il n'y a pas de petites choses.

Lerondeau pleurera pendant deux jours sa vieille loque* de zinc, et il faudra bien du temps pour qu'il cesse de considérer avec méfiance le nouvel appareil, et pour qu'il oublie de lui adresser ces critiques amères et minutieuses que, seul, un «connaisseur»* peut comprendre ou inventer.

Carré, cependant, ne parvient pas à entraîner la carcasse dans le bel élan de son âme. N'était son regard* et sa voix mouillée, tout, en son corps, sent précocement* le cadavre.

A travers les jours d'hiver et les longues nuits sans repos, il a l'air de haler* une épave.

Il tire... avec ses chants douloureux et ses mots vaillants qui, maintenant, fléchissent et, souvent, chavirent dans le vagissement.*

J'ai dû faire son pansement en présence de Marie. L'abondance du travail et l'exiguïté de l'endroit* m'y forçaient. Marie était grave et attentif comme lorsqu'on prend une leçon. Il s'agissait bien d'une leçon de courage et de patience. Mais, tout à coup, le maître a chancelé. Au milieu du pansement, Carré a desserré les lèvres, et il s'est mis à se plaindre, malgré lui, sans mesure et sans retenue,* abandonnant la partie* avec désespoir.

Lerondeau écoutait, plein d'inquiétude; et Carré, sachant que Marie

écoutait, continuait à se plaindre, comme quelqu'un qui a toute honte
bue.

Lerondeau m'appelle d'un clignement d'œil. Il dit:
— Carré!...
Et puis il se tait.
Je l'interroge et l'encourage silencieusement. Il répète:
— Carré!
Et il ajoute:
— J'ai vu ses escarres!* Mon Dieu! Oh! il va mal...
Lerondeau retient très bien les mots du langage médical. Il sait ce
que c'est que des escarres. Et il a vu les escarres de Carré. Il en a de
semblables sous le siège et sous le talon; mais la larme qui grossit dans
le coin de son œil est bien pour Carré.
Et puis, il sait, il sent que ses escarres, à lui, guériront.

Mais cela ne vaut rien à Marie d'entendre crier autrui avant que son
tour ne soit venu.
Il arrive sur la table avec toutes sortes de préventions.* Ses nerfs
sont ébranlés,* particulièrement irritables.
Dès les premiers gestes, il prélude* par des soupirs, et des « Malheureux! Malheureux! » ce qui est sa façon naïve et habituelle de
s'apitoyer sur son infortune. Et puis, tout à coup, il crie, comme il
n'avait plus crié depuis longtemps. Il crie avec une espèce d'ivresse, il
ouvre la bouche largement, et crie de toute la force de sa poitrine, de
toute la force aussi, semble-t-il, de son visage qui rougit et entre en
sueur. Il crie injustement, au moindre frôlement, d'une façon incohér-
ente et désordonnée.
Alors, cessant de l'exhorter au calme avec de douces et compatis-
santes paroles, je grossis* tout à coup la voix et ordonne à l'enfant de se
taire, sur un ton sévère, à coup sûr sans réplique...*
L'émotion de Marie tombe tout à coup, comme un champignon de
mousse* dans lequel on a mis le doigt. La salle tremble encore de mon
ordre impérieux. Une bonne dame, qui ne comprend pas tout de suite,
me regarde avec stupeur.
Mais Marie, rouge et craintif, refoule* cependant la souffrance
indue. Et, tant que dure le pansement, je lui contiens fortement

l'âme pour l'empêcher de souffrir en vain, comme d'autres lui serrent et lui maintiennent les poignets.

Et puis, tout à coup, c'est fini. Je lui montre un sourire fraternel qui détend son front comme un arc.

Une dame, qui est au moins duchesse, est venue rendre visite aux blessés. Elle exhalait un si violent et si suave parfum qu'elle ne pouvait certainement pas sentir l'odeur de la douleur qui règne ici.

On lui a montré Carré comme un des plus intéressants spécimens de la maison. Et elle le considérait avec un sourire curieux et flétri,* auquel les fards conservaient une beauté.

Elle a fait à Carré quelques réflexions patriotiques pleines d'allusions touchant sa conduite au feu... Et Carré a cessé de contempler la fenêtre pour regarder la dame avec un étonnement respectueux.

Et puis elle a demandé à Carré ce qu'elle pourrait bien lui apporter pour lui faire plaisir. Son geste promettait toutes les richesses du monde.

Carré a fait, à son tour, un beau sourire; il a réfléchi, et il a dit modestement:

— Un petit bout de veau avec des pommes nouvelles.

La belle dame a cru qu'il fallait rire. A coup sûr, j'ai senti que sa curiosité à l'égard de Carré venait de diminuer brusquement.

Un vieillard vient parfois visiter Carré. Il s'arrête devant le lit et prononce avec une figure glacée des paroles pleines d'une bienveillance diffuse:

— Qu'on lui donne tout ce qu'il demande... Qu'on envoie une dépêche à sa famille...

Carré proteste timidement: « Pourquoi donc une dépêche? Je n'ai que ma pauvre bonne femme de mère; ça va lui faire une frayeur... »

Le petit vieillard sort de ses bottes luisantes comme une plante bigarrée* d'un vase double.

Carré tousse, d'abord pour se donner une contenance,* puis parce que la cruelle bronchite en profite pour le secouer.

Alors le vieil homme s'incline, et toutes ses médailles pendent de sa poitrine. Il s'incline en soufflant, sans quitter le képi chargé d'or, et, avec autorité, il applique sur le cœur de Carré une oreille sourde.

La jambe de Carré a été sacrifiée. Elle est partie tout entière, laissant une triste plaie immense au ras du tronc.

C'est une chose bien étonnante que ce qui reste de Carré ne soit pas parti avec la jambe.

Il y a eu une rude journée.

O vie! ô âme! Comme vous tenez à cette carcasse délabrée!* O petite lueur à la surface de l'œil! Vingt fois je vous ai vue vous éteindre et renaître. Et vous étiez trop angoissée, trop faible, trop désespérée, pour pouvoir jamais plus refléter autre chose qu'angoisse, faiblesse et désespoir.

Pendant la longue après-midi, je vais m'asseoir, entre deux lits, à côté de Lerondeau. Je lui offre des cigarettes, et nous causons. Cela signifie que nous ne disons rien, ou si peu de chose... Mais pour causer avec Lerondeau, il n'est pas nécessaire de parler.

Marie aime bien les cigarettes, mais il aime surtout que je vienne m'asseoir à côté de lui un bout de temps. Quand je passe dans la salle, il frappe d'une façon engageante sur son drap, comme on frappe sur un banc pour prier un ami de s'y poser.

Depuis qu'il m'a raconté sa vie et sa campagne, il n'a plus grand'-chose à me dire. Il prend les gâteaux dont sa tablette* est chargée, et il les croque* d'un air content. — Moi, voyez, me dit-il, je mange tout le temps.

Et il rit.

S'il s'arrête de manger pour fumer, il rit encore. Puis il y a un bon silence. De temps en temps, Marie me regarde, et il se reprend à rire. Et quand je me lève pour m'en aller, il me dit: « Oh! vous n'êtes pas si pressé, on peut causer encore un brin. »*

La jambe de Lerondeau a été si fort éprouvée qu'elle demeure raccourcie* d'une bonne douzaine de centimètres. Voilà ce qu'il en est pour nous, qui la regardons d'en haut...

Mais, pour Lerondeau qui ne l'a vue que de loin, en élevant un peu la tête au-dessus de la table, pendant le pansement, il n'a perçu qu'une faible différence de longueur entre ses deux jambes.

Il a dit philosophiquement:

— Elle est plus courte, mais avec une bonne semelle...

Quand Marie a été mieux, il s'est appuyé sur son coude, et il a compris davantage l'importance de son infirmité.

— Il faudra une très grosse semelle, a-t-il observé.

Maintenant que Lerondeau peut s'asseoir, il juge aussi, de haut, l'étendue des dommages; mais il est joyeux de sentir reflamber la vie, et il conclut avec enjouement :*

— C'est pas une semelle, qu'il faudra, c'est un petit banc.

Mais Carré va mal, très mal.

Cette âme robuste devra donc rester seule, car tout la trahit.

Il y avait une jambe intacte. Elle est maintenant roide* et gonflée...

Il y avait des bras sains et courageux. Voilà l'un d'eux dévoré d'abcès..

Il n'écoute plus tout ce qu'on lui dit. Il ne répond plus à ce qu'on lui demande. Il est souvent absent d'une mystérieuse absence.

Lui qui aimait un si fier langage, il s'exprime et se plaint avec des mots et des cris d'enfant.

Parfois, il remonte des profondeurs et parle.

Il nous entretient de la mort avec une lucide imagination qui ressemble à de l'expérience.

Parfois, il la voit... Et, pour la voir, ses pupilles s'élargissent brusquement.

Mais il ne veut pas, il ne peut pas se décider.

Il lui faut encore souffrir un peu plus.

Dans l'ombre, je m'approche du lit. Son souffle est si léger que, tout à coup, pris d'inquiétude, j'écoute, la bouche ouverte.

Alors Carré montre soudain ses yeux.

Va-t-il soupirer, crier? Non! Il fait encore un sourire et dit tout à coup :

— Que vous avez les dents blanches...

Puis il rêve, comme s'il mourait.

Avais-tu rêvé pareil martyre, ô frère, alors que tu poussais la charrue sur ton petit bout de terre brune?

Te voici, agonisant d'une agonie de cinq mois, enfoui dans ce linge, vierge* même des récompenses que l'on donne...

Il faut que ta poitrine, il faut que ton suaire* soient vierges de la moindre des récompenses que l'on donne, Carré!

Il faut que tu aies souffert sans but et sans espoir.

Mais je ne veux pas que toute ta souffrance se perde dans l'abîme.

Et c'est pourquoi je la raconte très exactement.

On a descendu Lerondeau dans le jardin. Je l'y trouve campé sur une chaise longue, avec un petit képi posé devant l'œil, à cause du premier soleil de printemps.

Il parle un peu, il fume beaucoup, il rit davantage.

Je regarde sa jambe; mais, lui, ne la regarde guère; il ne la sent plus.

Et il l'oubliera plus complètement par la suite, et il finira par vivre comme s'il était naturel à l'homme de vivre avec un membre roide et déformé.

Oublie ta jambe, oublie ton martyre, Lerondeau! Mais il ne faut pas que l'univers l'oublie.

Et je laisse Marie au soleil, avec une belle teinte rose toute nouvelle sur ses joues tachées de son.*

Carré est mort au petit matin. Lerondeau nous quittera demain.

from *Vie des martyrs*, © Mercure de France 1917

NOTES

page 66 empêtrées – *entangled*
lainages – *woollens; woollies*
sanglées – *bound; strapped*
décortiqués – *peeled; stripped*
édentée – *toothless*
touchés – *hit; wounded*
la même ambulance – *the same field hospital*
page 67 s'envenimer – *to become infected*
maître – *head surgeon*
la penible besogne – *the painful task*
le couteau savant – *the skilful knife*
mette au jour les ravages – *reveal the damage*
le réveil nauséeux – *the nausea which comes on reawakening*
béantes – *gaping*
Carré a pris tout de suite de l'avance – *Carré suddenly began to improve*

page 67   emmaillotté dans une hébétude plaintive – *wrapped in a self-pitying stupor*

Faut pas – il ne faut pas. *This is a common contraction in everyday speech*

page 68   gourmander – *to rebuke*

des brancards – *stretchers*

cette voix chevrotante – *that quavering voice*

à tort et à travers – *at random; without rhyme or reason*

Carré se recueille – *Carré gathers his strength*

page 69   minable – *weak*

réduit – *debilitated*

avoir fort à faire – *to have a lot to do*

manier – *to handle*

à plusieurs reprises – *repeatedly*

faire vite – *to look sharp*

crispées – *clenched*

page 70   de noirs chicots – *black stumps*

de la belle façon – *in the right way*

pour s'en tirer – *in order to tide oneself over*

fouler – *to press*

Je vas – Je vais. *Popular usage*

page 71   la pince – *the forceps*

au fort de l'épreuve – *at the height of the ordeal*

il halète doucement – *he gasps quietly*

en fait de – *as regards*

il s'en donnait à pleine gorge – *he was letting himself go at the top of his voice*

piqûres – *pin-pricks; stings*

calé – *wedged*

au feu – *under fire*

page 72   babiller – *to chatter*

la pension du gouvernement – *a document certifying entitlement to a disability pension*

gaspiller – *to squander; to spend lavishly*

page 73   perdue jusqu'aux moelles – *infected down to the bone-marrow*

et tranche – *and settles the matter*

rogner – *to amputate*

page 73 la gouttière – *the surgical cradle*

la bête – *his body*

page 74 l'informe jambe – *the mis-shapen leg*

se couper aux plis – *cracking where it was bent*

sa vieille loque de zinc – *his old zinc cast-off; his old scrap of zinc*

un connaisseur – *a connoisseur. The English word is a direct borrowing from French of the period prior to the nineteenth century. The French spelling changed gradually, and there was a time when both the old and the new spellings were in use at the same time.*

N'était son regard – *Were it not for the look in his eyes*

précocement – *prematurely*

haler – *to tow*

ses mots vaillants qui, maintenant, fléchissent et, souvent, chavirent dans le vagissement – *his brave remarks, which are now growing weaker and often getting lost in his wailing*

l'exiguïté de l'endroit – *the lack of facilities in the place*

sans retenue – *without restraint; without any holding back*

abandonnant la partie – *giving up the game*

page 75 ses escarres – *his scabs*

préventions – *premonitions*

Ses nerfs sont ébranlés – *His nerves are completely shattered*

il prélude – *he announces*

je grossis tout à coup la voix – *I put a sudden threatening tone in my voice*

sans réplique – *allowing no reply*

un champignon de mousse – *a puffed-up mushroom; a puff-ball*

refoule cependant la souffrance indue – *holds back with some effort the unwarranted suffering*

page 76 flétri – *strained*

bigarrée – *mottled*

se donner une contenance – *to put on a good face*

page 77 délabrée – *broken*

sa tablette – *his tray; his shelf*

il les croque d'un air content – *he munches them contentedly*

on peut causer encore un brin – *we can still chat for a while*

page 77   raccourcie – *shortened*
page 78   avec enjouement – *playfully*
            roide – *stiff*
            vierge – *unsoiled*
            ton suaire – *your shroud*
page 79   ses joues tachées de son – *his freckled cheeks*

Anatole France

Anatole France was the pseudonym of Anatole François Thibault, who was born the son of a bookseller in Paris on April 16th, 1844. He was educated at the *Collège Stanislas,* and, after completing his studies, he obtained a position with the publishing firm of Alphonse Lemerre. He had previously published a study of Alfred de Vigny, and he was now able to mingle with various literary groups, even contributing a few of his own poems to the *Parnasse contemporain* in 1871; a little later in 1873 he published his *Poèmes dorés* and dedicated them to Leconte de Lisle, who later helped him to obtain a post in the *Bibliothèque du Sénat.* The publication of a verse play, *Les Noces corinthiennes,* in 1876, and of *Jocaste* and *Le Chat maigre* in 1879, made little public impact, but in 1881 there came *Le Crime de Sylvestre Bonnard* which established him in the public eye. This success was followed by *Les Désirs de Jean Servien* in 1882, and *Le Livre de mon ami* in 1885. A year later France became editor of a literary review, *Le Temps,* but continued to write. *Balthazar* appeared in 1889, and was followed in 1890 by *Thaïs,* and in 1892 by *L'Etui de nacre,* a collection of stories from which *Le Procurateur de Judée* has been taken.

France was now a major literary figure and his works were eagerly awaited; *La Rôtisserie de la reine Pédauque* (1893), *Les Opinions de Jérôme Coignard* (1893) and other works only served to enhance his reputation, and in 1896 he was elected to the *Académie Française.* It was now the era of the Dreyfus affair, and France was drawn, like many of his contemporaries, into the social and political ferment of his day. His involvement is shown in *L'Histoire contemporaine* (1879–1901), *L'Affaire Crainquebille* (1901), *Opinions sociales* (1902), and *Sur la pierre blanche* (1905), all of which seem to reach their natural culmination in *L'Ile des pingouins* (1908) which pillories the machinations of politicians. *Les dieux ont soif* appeared in 1912 and *La Révolte des anges* in 1914, but he was now an old man, the doyen of the French literary scene, held in a veneration unknown since the case of Hugo. The war of

1914–18 shocked him, but, despite advancing age, he continued to write and published *Sur la voie glorieuse* (1915), *Le Petit Pierre* (1918), and his final work *La Vie en fleur* in 1922, the year of his death. He had received the Nobel Prize for literature in 1921, a fitting reward for a lifetime spent in the pursuit of letters. His style is remarkable for its elegance and simplicity, and it is perhaps his superficial scepticism which has caused him to slip into a public disfavour which would have surprised his contemporaries. *Le Procurateur de Judée* is typical of his faults and of his merits, and there is no doubt that the latter are considerable, and that he deserves a better fate than the one that has befallen his work for the past fifty years.

Le Procurateur de Judée

par ANATOLE FRANCE

L. Ælius Lamia, né en Italie de parents illustres, n'avait pas encore quitté la robe prétexte,* quand il alla étudier la philosophie aux écoles d'Athènes. Il demeura ensuite à Rome et mena, dans sa maison des Esquilies, parmi de jeunes débauchés, une vie voluptueuse. Mais accusé d'entretenir des relations criminelles avec Lepida, femme de Sulpicius Quirinus, personnage consulaire, et reconnu coupable, il fut exilé par Tibère César. Il entrait alors dans sa vingt-quatrième année. Pendant dix-huit ans que dura son exil, il parcourut la Syrie, la Palestine, la Cappadoce, l'Arménie, et fit de longs séjours à Antioche, à Césarée, à Jérusalem. Quand, après la mort de Tibère, Caïus fut élevé à l'empire, Lamia obtint de rentrer dans la Ville; il recouvra même une partie de ses biens. Ses misères l'avaient rendu sage.

Il évita tout commerce avec les femmes de condition libre, ne brigua* point les emplois publics, se tint éloigné des honneurs et vécut caché dans sa maison des Esquilies. Mettant par écrit ce qu'il avait vu de remarquable en ses lointains voyages, il faisait, disait-il, de ses peines passées le divertissement des heures présentes. C'est au milieu de ces paisibles travaux et dans la méditation assidue des livres d'Épicure, qu'avec un peu de surprise et quelque chagrin il vit venir la vieillesse. En sa soixante-deuxième année, tourmenté d'un rhume assez incommode, il alla prendre les eaux de Baïes.* Ce rivage, jadis cher aux alcyons, était alors fréquenté par les Romains riches et avides de plaisirs. Depuis une semaine, Lamia vivait seul et sans ami dans leur foule brillante, quand, un jour, après dîner, se sentant dispos,* il lui prit la fantaisie de gravir les collines qui, couvertes de pampres comme des bacchantes,* regardent les flots.

Ayant atteint le sommet, il s'assit au bord d'un sentier, sous un térébinthe,* et laissa errer sa vue sur le beau paysage. A sa gauche s'étendaient livides et nus les champs Phlégréens* jusqu'aux ruines de Cumes.* A sa droite le cap Misène* enfonçait son éperon aigu dans la mer Tyrrhénienne.* Sous ses pieds, vers l'occident, la riche Baïes, suivant la courbe gracieuse du rivage, étalait ses jardins, ses villas peuplées de statues, ses portiques, ses terrasses de marbre, au bord de la mer bleue où se jouaient les dauphins. Devant lui, de l'autre côté du golfe, sur la côte de Campanie,* dorée par le soleil déjà bas, brillaient les temples, que couronnaient au loin des lauriers du Pausilippe,* et dans les profondeurs de l'horizon riait le Vésuve.

Lamia tira d'un pli de sa toge un rouleau contenant le *Traité sur la nature*, s'étendit à terre et commença de lire. Mais les cris d'un esclave l'avertirent de se lever pour laisser passage à une litière qui montait l'étroit sentier des vignes. Comme la litière s'approchait tout ouverte, Lamia vit, étendu sur les coussins, un vieillard d'une vaste corpulence qui, le front dans la main, regardait d'un œil sombre et fier. Son nez aquilin descendait sur ses lèvres, que pressaient un menton proéminent et des mâchoires puissantes.

Tout d'abord, Lamia fut certain de connaître ce visage. Il hésita un moment à le nommer. Puis soudain, s'élançant vers la litière dans un mouvement de surprise et de joie:

« Pontius Pilatus! s'écria-t-il, grâces aux dieux, il m'est donné de te revoir! »

Le vieillard, faisant signe aux esclaves d'arrêter, fixa un regard attentif sur l'homme qui le saluait.

« Pontius, mon cher hôte, reprit celui-ci, vingt années ont assez blanchi mes cheveux et creusé mes joues pour que tu ne reconnaisses plus ton Ælius Lamia. »

A ce nom, Pontius Pilatus descendit de litière aussi vivement que le permettaient la fatigue de son âge et la gravité de son allure. Et il embrassa deux fois Ælius Lamia.

« Certes, il m'est doux de te revoir, dit-il. Hélas! tu me rappelles les jours anciens, alors que j'étais procurateur de Judée, dans la province de Syrie. Voilà trente ans que je te vis pour la première fois. C'était à Césarée, où tu venais traîner les ennuis de l'exil. Je fus assez heureux pour les adoucir un peu, et, par amitié, Lamia, tu me suivis dans cette triste Jérusalem, où les Juifs m'abreuvèrent* d'amertume et de dégoût. Tu demeuras pendant plus de dix ans mon hôte et mon compagnon, et tous deux, parlant de la Ville, nous nous consolions ensemble, toi de tes infortunes, moi de mes grandeurs. »

Lamia l'embrassa de nouveau.

« Tu ne dis pas tout, Pontius: tu ne rappelles point que tu usas en ma faveur de ton crédit auprès d'Hérode Antipas et que tu m'ouvris ta bourse avec libéralité.

— N'en parlons point, répondit Pontius, puisque, dès ton retour à Rome, tu m'envoyas par un de tes affranchis* une somme d'argent qui me payait avec usure.

— Pontius, je ne me crois pas quitte envers toi par une somme d'argent. Mais réponds-moi: les dieux ont-ils comblé tes désirs? Jouis-tu de tout le bonheur que tu mérites? Parle-moi de ta famille, de ta fortune, de ta santé.

— Retiré en Sicile, où je possède des terres, je cultive et je vends mon blé. Ma fille aînée, ma très chère Pontia, devenue veuve, vit chez moi et gouverne ma maison. J'ai gardé, grâces aux dieux, la vigueur de l'esprit; ma mémoire n'est point affaiblie. Mais la vieillesse ne vient pas sans un long cortège de douleurs et d'infirmités. Je suis cruellement travaillé de la goutte. Et tu me vois à cette heure allant chercher par les champs Phlégréens un remède à mes maux. Cette terre brûlante, d'où, la nuit, s'échappent des flammes, exhale d'âcres vapeurs de soufre qui, dit-on, calment les douleurs et rendent la souplesse aux jointures des membres. Du moins les médecins l'assurent.

— Puisses-tu, Pontius, l'éprouver toi-même! Mais, en dépit de la goutte et de ses brûlantes morsures, tu sembles à peine aussi âgé que moi, bien qu'en réalité tu sois mon aîné de dix ans. Certes, tu as conservé plus de vigueur que je n'en eus jamais, et je me réjouis de te retrouver si robuste. Pourquoi, très cher, as-tu renoncé avant l'âge aux charges publiques? Pourquoi, au sortir de ton gouvernement de Judée, as-tu vécu sur tes domaines de Sicile dans un exil volontaire? Instruis-moi de tes actions à partir du moment où j'ai cessé d'en être le témoin. Tu te préparais à réprimer une révolte des Samaritains lorsque je partis pour la Cappadoce, où j'espérais tirer quelque profit de l'élève des chevaux et des mulets. Je ne t'ai pas revu depuis lors. Quel fut le succès de cette expédition? Instruis-moi, parle. Tout ce qui te touche m'intéresse. »

Pontius Pilatus secoua tristement la tête:

« Une naturelle sollicitude, dit-il, et le sentiment du devoir m'ont porté à remplir les fonctions publiques non seulement avec diligence, mais encore avec amour. Mais la haine m'a poursuivi sans trêve. L'intrigue et la calomnie ont brisé ma vie en pleine sève et séché les fruits qu'elle devait mûrir. Tu m'interroges sur la révolte des Samaritains. Asseyons-nous sur ce tertre. Je vais te répondre en peu de mots. Ces événements me sont aussi présents que s'ils s'étaient accomplis hier.

« Un homme de la plèbe, puissant par la parole, comme il s'en trouve beaucoup en Syrie, persuada aux Samaritains de s'assembler en armes sur le mont Gazim, qui passe en ce pays pour un lieu saint, et il promit de découvrir à leurs yeux les vases sacrés qu'un héros éponyme,* ou plutôt un dieu indigène,* nommé Moïse, y avait cachés, aux temps antiques d'Évandre et d'Énée, notre père. Sur cette assurance, les Samaritains se révoltèrent. Mais, averti à temps pour les prévenir, je fis occuper la montagne par des détachements d'infanterie et plaçai des cavaliers pour en surveiller les abords.

« Ces mesures de prudence étaient urgentes. Déjà les rebelles assiégeaient le bourg de Tyrathaba, situé au pied du Gazim. Je les dispersai aisément et j'étouffai la révolte à peine formée. Puis, pour faire un grand exemple avec peu de victimes, je livrai au supplice les chefs de la sédition. Mais tu sais, Lamia, dans quelle étroite dépendance me tenait le proconsul Vitellius qui, gouvernant la Syrie non pour Rome mais contre Rome, estimait que les provinces de l'Empire se donnent comme des fermes aux tétrarques. Les principaux d'entre les Samaritains vinrent à ses pieds pleurer en haine de moi. A les entendre, rien n'était plus éloigné de leur pensée que de désobéir à César. J'étais un provocateur, et c'est pour résister à mes violences qu'ils s'étaient assemblés autour de Tyrathaba. Vitellius entendit leurs plaintes et, confiant leurs affaires de Judée à son ami Marcellus, il m'ordonna d'aller me justifier devant l'empereur. Le cœur gros de douleur et de ressentiment, je pris la mer. Quand j'abordai les côtes d'Italie, Tibère, usé par l'âge et l'empire, mourait subitement sur le cap Misène dont on voit d'ici la corne s'allonger dans la brume du soir. Je demandai justice à Caïus, son successeur, qui avait l'esprit naturellement vif et connaissait les affaires de Syrie. Mais admire avec moi, Lamia, l'injure de la fortune obstinée à ma perte. Caïus retenait alors près de lui, dans la Ville, le juif Agrippa, son compagnon, son ami d'enfance, qu'il chérissait plus que ses yeux. Or, Agrippa favorisait Vitellius parce que Vitellius était l'ennemi d'Antipas qu'Agrippa poursuivait de sa haine. L'empereur suivit le sentiment de son cher asiatique et refusa même de m'entendre. Il me fallut rester sous le coup d'une disgrâce imméritée. Dévorant mes larmes, nourri de fiel,* je me retirai dans mes terres de Sicile, où je serais mort de douleur si ma douce Pontia n'était venue consoler son père. J'ai cultivé le blé et fait croître les plus gras épis de toute la province. Aujourd'hui ma vie est faite. L'avenir jugera entre Vitellius et moi.

— Pontius, répondit Lamia, je suis persuadé que tu as agi envers les Samaritains selon la droiture de ton esprit et dans le seul intérêt de Rome. Mais n'as-tu pas trop obéi dans cette occasion à ce courage impétueux qui t'entraînait toujours? Tu sais qu'en Judée, alors que, plus jeune que toi, je devais être plus ardent, il m'arriva souvent de te conseiller la clémence et la douceur.

— La douceur envers les Juifs! s'écria Pontius Pilatus. Bien qu'ayant vécu chez eux, tu connais mal ces ennemis du genre humain. Tout ensemble fiers et vils, unissant une lâcheté ignominieuse à une obstination invincible, ils lassent également l'amour et la haine. Mon esprit s'est formé, Lamia, sur les maximes du divin Auguste. Déjà, quand je fus nommé procurateur de Judée, la majesté de la paix romaine enveloppait la terre. On ne voyait plus, comme au temps de nos discordes civiles, les proconsuls s'enrichir du sac des provinces. Je savais mon devoir. J'étais attentif à n'user que de sagesse et de modération. Les dieux m'en sont témoins: je ne me suis opiniâtré que dans la douceur. De quoi m'ont servi ces pensées bienveillantes? Tu m'as vu, Lamia,

quand, au début de mon gouvernement, éclata la première révolte.
Est-il besoin de t'en rappeler les circonstances? La garnison de Césarée
était allée prendre ses quartiers d'hiver à Jérusalem. Les légionnaires
portaient sur leurs enseignes les images de César. Cette vue offensa les
Hiérosolymites,* qui ne reconnaissaient point la divinité de l'empereur,
comme si, puisqu'il faut obéir, il n'était pas plus honorable d'obéir à un
dieu qu'à un homme. Les prêtres de la nation vinrent, devant mon
tribunal, me prier avec une humilité hautaine de faire porter les enseignes hors de la ville sainte. Je m'y refusai par respect pour la divinité
de César et la majesté de l'empire. Alors la plèbe, se joignant aux sacer-
dotes, fit entendre autour du prétoire* des supplications menaçantes.
J'ordonnai aux soldats de former les piques en faisceaux* devant la
tour Antonia et d'aller, armés de baguettes, comme des licteurs,*
disperser cette foule insolente. Mais, insensibles aux coups, les Juifs
m'adjuraient encore, et les plus obstinés, se couchant à terre, tendaient
la gorge et se laissaient mourir sous les verges.* Tu fus alors témoin
de mon humiliation, Lamia. Sur l'ordre de Vitellius, je dus renvoyer
les enseignes à Césarée. Certes, cette honte ne m'était pas due. A la
face des dieux immortels, je jure que je n'ai pas offensé une seule fois,
dans mon gouvernement, la justice et les lois. Mais je suis vieux. Mes
ennemis et mes délateurs* sont morts. Je mourrai non vengé. Qui
défendra ma mémoire? »

Il gémit et se tut. Lamia répondit:

« Il est sage de ne mettre ni crainte, ni espérance dans l'avenir in-
certain. Qu'importe ce que les hommes penseront de nous? Nous
n'avons de témoins et de juges que nous-mêmes. Assure-toi, Pontius
Pilatus, dans le témoignage que tu te rends de ta vertu. Contente-toi
de ta propre estime et de celle de tes amis. Au reste, on ne gouverne pas
les peuples par la seule douceur. Cette charité du genre humain que
conseille la philosophie a peu de part aux actions des hommes publics.

— Laissons cela, dit Pontius. Les vapeurs de soufre qui s'exhalent
des champs Phlégréens ont plus de force quand elles sortent de la terre
encore échauffée par les rayons du soleil. Il faut que je me hâte. Adieu.
Mais, puisque je retrouve un ami, je veux profiter de cette bonne fortune. Ælius Lamia, accorde-moi la faveur de venir souper demain
chez moi. Ma maison est située sur le rivage de la mer, à l'extrémité de la
ville, du côté de Misène. Tu la reconnaîtras facilement au portique

où l'on voit une peinture représentant Orphée parmi les tigres et les
lions qu'il charme des sons de sa lyre.

« A demain, Lamia, dit-il encore en remontant dans sa litière.
Demain nous causerons de la Judée. »

Le lendemain Lamia se rendit, à l'heure du souper, dans la maison de
Pontius Pilatus. Deux lits seulement attendaient les convives. Servie
sans faste,* mais honorablement, la table supportait des plats d'argent
dans lesquels étaient préparés des becfigues* au miel, des grives,* des
huîtres du Lucrin et des lamproïes de Sicile. Pontius et Lamia, tout en
mangeant, s'interrogèrent l'un l'autre sur leurs maladies dont ils
décrivirent longuement les symptômes, et ils se firent part mutuelle-
ment de divers remèdes qu'on leur avait recommandés. Puis, se félici-
tant d'être réunis à Baïes, ils vantèrent à l'envi* la beauté de ce rivage et
la douceur du jour qu'on y respirait. Lamia célébra la grâce des cour-
tisanes qui passaient sur la plage, chargées d'or et traînant des voiles
brodés chez les Barbares. Mais le vieux procurateur déplorait une
ostentation qui, pour de vaines pierres et des toiles d'araignées tissues
de main d'homme, faisaient passer l'argent romain chez des peuples
étrangers et même chez des ennemis de l'Empire. Ils vinrent ensuite à
parler des grands travaux accomplis dans la contrée, de ce pont pro-
digieux établi par Caïus entre Putéoles et Baïes et de ces canaux
creusés par Auguste pour verser les eaux de la mer dans les lacs Averne
et Lucrin.

« Moi aussi, dit Pontius en soupirant, j'ai voulu entreprendre de
grands travaux d'utilité publique. Quand je reçus, pour mon malheur,
le gouvernement de la Judée, je traçai le plan d'un aqueduc de deux
cents stades* qui devait porter à Jérusalem des eaux abondantes et
pures. Hauteur des niveaux, capacité des modules,* obliquité* des
calices* d'airain auxquels s'adaptent les tuyaux de distribution, j'avais
tout étudié, et, sur l'avis des machinistes, tout résolu moi-même. Je
préparais un règlement pour la police des eaux, afin qu'aucun particulier
ne pût faire des prises illicites. Les architectes et les ouvriers étaient
commandés. J'ordonnai qu'on commençât les travaux. Mais, loin de
voir s'élever avec satisfaction cette voie qui, sur des arches puissantes
devait porter la santé avec l'eau dans leur ville, les Hiérosolymites
poussèrent des hurlements lamentables. Assemblés en tumulte, criant

au sacrilège et à l'impiété, ils se ruaient* sur les ouvriers et dispersaient les pierres des fondations. Conçois-tu, Lamia, des barbares plus immondes? Pourtant Vitellius leur donna raison et je reçus l'ordre d'interrompre l'ouvrage.

— C'est une grande question, dit Lamia, de savoir si l'on doit faire le bonheur des hommes malgré eux. »

Pontius Pilatus poursuivit sans l'entendre:

« Refuser un aqueduc, quelle folie! Mais tout ce qui vient des Romains est odieux aux Juifs. Nous sommes pour eux des êtres impurs et notre seule présence leur est une profanation. Tu sais qu'ils n'osaient entrer dans le prétoire de peur de se souiller et qu'il me fallait exercer la magistrature publique dans un tribunal en plein air, sur ce pavé de marbre où tu posas si souvent le pied.

« Ils nous craignent et nous méprisent. Pourtant Rome n'est-elle pas la mère et la tutrice des peuples qui tous, comme des enfants, reposent et sourient sur son sein vénérable? Nos aigles ont porté jusqu'aux bornes de l'univers la paix et la liberté. Ne voyant que des amis dans les vaincus, nous laissons, nous assurons aux peuples conquis leurs coutumes et leurs lois. N'est-ce point seulement depuis que Pompée l'a soumise que la Syrie, autrefois déchirée par une multitude de rois, a commencé de goûter le repos et les heures prospères? Et quand Rome pouvait vendre ses bienfaits à prix d'or, a-t-elle enlevé les trésors dont regorgent les temples barbares? A-t-elle dépouillé la déesse Mère à Pessinonte, Jupiter dans la Morimène et dans la Cilicie, le dieu des Juifs à Jérusalem? Antioche, Palmyre, Apamée, tranquilles malgré leurs richesses, et ne craignant plus les Arabes du désert, élèvent des temples au Génie de Rome et à la Divinité de César. Seuls, les Juifs nous haïssent et nous bravent. Il faut leur arracher le tribut, et ils refusent obstinément le service militaire.

— Les Juifs, répondit Lamia, sont très attachés à leurs coutumes antiques. Ils te soupçonnaient, sans raison, j'en conviens, de vouloir abolir leur loi et changer leurs mœurs. Souffre, Pontius, que je te dise que tu n'as pas toujours agi de sorte à dissiper leur malheureuse erreur. Tu te plaisais, malgré toi, à exciter leurs inquiétudes, et je t'ai vu plus d'une fois trahir devant eux le mépris que t'inspiraient leurs croyances et leurs cérémonies religieuses. Tu les vexais particulièrement en faisant garder par des légionnaires, dans la tour Antonia, les habits et les ornements sacerdotaux du grand-prêtre. Il faut reconnaître que, sans s'être élevés comme nous à la contemplation des choses divines, les Juifs célèbrent des mystères vénérables par leur antiquité. »

Pontius Pilatus haussa les épaules :

« Ils n'ont point, dit-il, une exacte connaissance de la nature des dieux. Ils adorent Jupiter, mais sans lui donner de nom ni de figure. Ils ne le vénèrent pas même sous la forme d'une pierre, comme font certains peuples d'Asie. Ils ne savent rien d'Apollon, de Neptune, de Mars, de Pluton, ni d'aucune déesse. Toutefois, je crois qu'ils ont anciennement adoré Vénus. Car encore aujourd'hui les femmes présentent à l'autel des colombes pour victimes et tu sais comme moi que des marchands, établis sous les portiques du temple, vendent des couples de ces oiseaux pour le sacrifice. On m'avertit même, un jour, qu'un furieux venait de renverser avec leurs cages ces vendeurs d'offrandes. Les prêtres s'en plaignaient comme d'un sacrilège. Je crois que cet usage de sacrifier des tourterelles fut établi en l'honneur de Vénus. Pourquoi ris-tu, Lamia ?

— Je ris, dit Lamia, d'une idée plaisante qui, je ne sais comment, m'a traversé la tête. Je songeais qu'un jour le Jupiter des Juifs pourrait bien venir à Rome et t'y poursuivre de sa haine. Pourquoi non ? L'Asie et l'Afrique nous ont déjà donné un grand nombre de dieux. On a vu s'élever à Rome des temples en l'honneur d'Isis et de l'aboyant Anubis.* Nous rencontrons dans les carrefours et jusque dans les carrières la Bonne Déesse des Syriens, portée sur un âne. Et ne sais-tu pas que, sous le principat* de Tibère, un jeune chevalier se fit passer pour le Jupiter cornu des Égyptiens et obtint sous ce déguisement les faveurs d'une dame illustre, trop vertueuse pour rien refuser aux dieux ? Crains, Pontius, que le Jupiter invisible des Juifs ne débarque un jour à Ostie ! »

A l'idée qu'un dieu pouvait venir de Judée, un rapide sourire glissa sur le visage sévère du procurateur. Puis il répondit gravement :

« Comment les Juifs imposeraient-ils leur loi sainte aux peuples du dehors, quand eux-mêmes se déchirent entre eux pour l'interprétation de cette loi ? Divisés en vingt sectes rivales, tu les as vus, Lamia, sur les places publiques, leurs rouleaux à la main,* s'injuriant les uns les autres et se tirant par la barbe ; tu les as vus, sur le stylobate* du temple, déchirer en signe de désolation leurs robes crasseuses* autour de quelque misérable en proie au délire prophétique. Ils ne conçoivent pas qu'on dispute en paix, avec une âme sereine, des choses divines qui, pourtant, sont couvertes de voiles et pleines d'incertitude. Car la nature des Immortels nous demeure cachée et nous ne pouvons la connaître. Je pense toutefois qu'il est sage de croire à la Providence des dieux. Mais les Juifs n'ont point de philosophie et ils ne souffrent pas la diversité des opinions. Au contraire, ils jugent dignes du dernier supplice ceux qui professent sur la divinité des sentiments contraires à leur loi. Et, comme depuis que le Génie de Rome est sur eux, les sentences capitales prononcées par leurs tribunaux ne peuvent être exécutées qu'avec la sanction du proconsul ou du procurateur, ils pressent à tout moment le magistrat romain de souscrire à leurs arrêts funestes; ils obsèdent le prétoire de leurs cris de mort. Cent fois je les ai vus, en foule, riches et pauvres, tous réconciliés autour de leurs prêtres, assiéger en furieux ma chaise d'ivoire et me tirer par les pans de ma toge, par les courroies de mes sandales, pour réclamer, pour exiger de moi la mort de quelque malheureux dont je ne pouvais discerner le crime et que j'estimais seulement aussi fou que ses accusateurs. Que dis-je, cent fois! C'était tous les jours, à toutes les heures. Et pourtant, je devais faire exécuter leur loi comme la nôtre, puisque Rome m'instituait non point le destructeur, mais l'appui de leurs coutumes, et que j'étais sur eux les verges et la hache. Dans les premiers temps, j'essayai de leur faire entendre raison; je tentais d'arracher leurs misérables victimes au supplice. Mais cette douceur les irritait davantage; ils réclamaient leur proie en battant de l'aile et du bec autour de moi comme des vautours. Leurs prêtres écrivaient à César que je violais leur loi, et leurs suppliques, appuyées par Vitellius, m'attiraient un blâme sévère. Que de fois, il me prit envie d'envoyer ensemble, comme disent les Grecs, aux corbeaux les accusés et les juges!

« Ne crois pas, Lamia, que je nourrisse des rancunes impuissantes et des colères séniles contre ce peuple qui a vaincu en moi Rome et la paix. Mais je prévois l'extrémité où ils nous réduiront tôt ou tard. Ne pouvant les gouverner, il faudra les détruire. N'en doute point; toujours insoumis, couvant la révolte dans leur âme échauffée, ils feront éclater un jour contre nous une fureur auprès de laquelle la colère des Numides et les menaces des Parthes ne sont que des caprices d'enfant. Ils nourrissent dans l'ombre des espérances insensées et méditent follement notre ruine. En peut-il être autrement, tant qu'ils attendent

sur la foi d'un oracle, le prince de leur sang qui doit régner sur le
monde? On ne viendra pas à bout de ce peuple.* Il faut qu'il ne soit
plus. Il faut détruire Jérusalem de fond en comble. Peut-être, tout
vieux que je suis, me sera-t-il donné de voir le jour où tomberont ses
murailles, où la flamme dévorera ses maisons, où ses habitants seront
passés au fil de l'épée, où l'on sèmera le sel sur la place où fut le Temple.
Et ce jour-là je serai enfin justifié.»

Lamia s'efforça de ramener l'entretien sur un ton plus doux.

« Pontius, dit-il, je m'explique sans peine et tes vieux ressentiments et
tes pressentiments sinistres. Certes, ce que tu as connu du caractère des
Juifs n'est pas à leur avantage. Mais moi, qui vivais à Jérusalem, en
curieux, et qui me mêlais au peuple, j'ai pu découvrir chez ces hommes
des vertus obscures, qui te furent cachées. J'ai connu des Juifs pleins de
douceur, dont les mœurs simples et le cœur fidèle me rappelaient ce
que nos poètes ont dit du vieillard d'Ébalie. Et toi-même, Pontius, tu as
vu expirer sous le bâton de tes légionnaires des hommes simples qui,
sans dire leur nom, mouraient pour une cause qu'ils croyaient juste. De
tels hommes ne méritent point nos mépris. Je parle ainsi, parce qu'il
convient de garder en toutes choses la mesure et l'équité. Mais j'avoue
n'avoir jamais éprouvé pour les Juifs une vive sympathie. Les Juives,
au contraire, me plaisaient beaucoup. J'étais jeune alors, et les Syriennes
me jetaient dans un grand trouble des sens. Leur lèvre rouge, leurs
yeux humides et brillants dans l'ombre, leurs longs regards, me péné-
traient jusqu'aux moelles. Fardées et peintes, sentant le nard* et la
myrrhe, macérées* dans les aromates, leur chair est d'un goût rare et
délicieux.»

Pontius entendit ces louanges avec impatience.

« Je n'étais pas homme à tomber dans les filets des Juives, dit-il, et
puisque tu m'amènes à le dire, Lamia, je n'ai jamais approuvé ton
incontinence. Si je ne t'ai pas assez marqué autrefois que je te tenais
pour très coupable d'avoir séduit, à Rome, la femme d'un consulaire,
c'est qu'alors tu expiais durement ta faute. Le mariage est sacré chez les
patriciens; c'est une institution sur laquelle Rome s'appuie. Quant aux
femmes esclaves ou étrangères, les relations qu'on peut nouer avec elles
seraient de peu de conséquence, si le corps ne s'y habituait à une hont-
euse mollesse. Souffre que je te dise que tu as trop sacrifié à la Vénus
des carrefours; et ce dont je te blâme surtout, Lamia, c'est de ne

t'être pas marié selon la loi et de n'avoir pas donné des enfants à la République, comme tout bon citoyen doit le faire. »

Mais l'exilé de Tibère n'écoutait plus le vieux magistrat. Ayant vidé sa coupe de Falerne,* il souriait à quelque image invisible.

Après un moment de silence, il reprit d'une voix très basse, qui s'éleva peu à peu :

« Elles dansent avec tant de langueur, les femmes de Syrie ! J'ai connu une Juive de Jérusalem qui, dans un bouge,* à la lueur d'une petite lampe fumeuse, sur un méchant tapis, dansait en élevant ses bras pour choquer ses cymbales. Les reins cambrés, la tête renversée et comme entraînée par le poids de ses lourds cheveux roux, les yeux noyés de volupté, ardente et languissante, souple, elle aurait fait pâlir d'envie Cléopâtre elle-même. J'aimais ses danses barbares, son chant un peu rauque et pourtant si doux, son odeur d'encens, le demi-sommeil dans lequel elle semblait vivre. Je la suivais partout. Je me mêlais au monde vil de soldats, de bateleurs* et de publicains dont elle était entourée. Elle disparut un jour, et je ne la revis plus. Je la cher-chai longtemps dans les ruelles suspectes et dans les tavernes. On avait plus de peine à se déshabituer d'elle que du vin grec. Après quelques mois que je l'avais perdue, j'appris, par hasard, qu'elle s'était jointe à une petite troupe d'hommes et de femmes qui suivaient un jeune thaumaturge* galiléen. Il se faisait appeler Jésus le Nazaréen, et il fut mis en croix pour je ne sais quel crime. Pontius, te souvient-il de cet homme ? »

Pontius Pilatus fronça les sourcils et porta la main à son front comme quelqu'un qui cherche dans sa mémoire. Puis, après quelques instants de silence :

« Jésus ? murmura-t-il, Jésus le Nazaréen ? Je ne me rappelle pas. »

from *L'étui de nacre*, © Calmann Lévy 1892

NOTES

page 84   la robe prétexte – '*toga praetexta*' : *a white toga with a purple border, worn by the children of patricians*
ne brigua point les emplois publics – *on no account canvassed for government posts*

page 85   Baïes – *a popular watering-place situated near Naples. The ruins of the town are still to be seen*

dispos – *fit*

des bacchantes – *priestesses of Bacchus, the god of wine*

un térébinthe – *a turpentine tree. One of many small touches intended to add a little local colour to the setting*

les champs Phlégréens – *an area west of Naples noted for its volcanic activity*

Cumes – *a town in Campania chiefly famous for the sibyl who was reputed to live there in a cave*

le cap Misène – *a promontory which forms one of the arms of the bay of Naples*

la mer Tyrrhénienne – *that part of the Mediterranean Sea enclosed by the west coast of Italy and the three islands of Sicily, Sardinia and Corsica*

Campanie – *Campania, an Italian province of which the chief town is Naples*

le Pausilippe – *a mountain near Naples containing a massive grotto sometimes known as Virgil's Tomb*

page 86   où les Juifs m'abreuvèrent d'amertume et de dégoût – *where the Jews filled my cup with bitterness and disgust. There is irony in this remark if we remember the sponge soaked in vinegar which Christ was given to quench his thirst*

un de tes affranchis – *one of your freedmen (emancipated slaves)*

page 87   un héros éponyme – *a folklore hero*

un dieu indigène – *a national, civic or household god*

page 88   nourri de fiel – *full of malice; bearing a grudge*

page 89   les Hiérosolymites – *the inhabitants of Jerusalem*

autour du prétoire – *throughout the 'praetorium'; throughout the court.*

J'ordonnai aux soldats de former les piques en faisceaux – *I ordered the soldiers to stack their pikes*

des licteurs – *lictors: minor officials who marched before a magistrate*

les verges – *the rods; the switches*

mes délateurs – *my denouncers; my denigrators*

page 90   sans faste – *without any ostentation*
des becfigues – *waxwings*
des grives – *thrushes*
ils vantèrent à l'envi – *they vied in praising*
un aqueduc de deux cents stades – *an   aqueduct   twenty-two
miles long. A 'stade' is a unit of measure of about two hundred
yards*
capacité des modules – *the capacity of each unit*
obliquité des calices d'airain – *the angles of inclination of the
cup-shaped bronze supports*

page 91   ils se ruaient sur les ouvriers – *they hurled themselves on the
workmen*

page 92   l'aboyant Anubis – *the Egyptian god of death always repre-
sented with the body of a man and the head of a dog*
sous le principat de Tibère – *during the reign of Tiberius*
leurs rouleaux à la main – *clutching their scrolls*
le stylobate du temple – *the pedestal (plinthe) of the temple*
leurs robes crasseuses – *their filthy garments*

page 94   On ne viendra pas à bout de ce peuple – *the resistance of that
nation will not be broken*
sentant le nard – *smelling of spikenard*
macérées dans les aromates – *soaked in perfume*

page 95   Falerne – *Falerno, a wine-producing region of Campania*
un bouge – *a hovel; a slum*
bateleurs – *mountebanks; rogues*
un jeune thaumaturge galiléen – *a young miracle-worker from
Galilee*

Jean Giono

Jean Giono, who was born in Manosque on March 30th, 1895, is one of the small group of regionalist writers who have achieved an international reputation. His novels are set in his native Provence, and he is concerned with portraying the simplicity and often the starkness of life against such a background. His first major work was a trilogy, *Pan*, consisting of *Colline* and *Un des Baumugnes*, both of which appeared in 1929, and of *Regain*, published in 1930. This work was followed by *Le Grand Troupeau* in 1931 and by *Solitude de la pitié*, a collection of short stories, in 1932. Giono also used much the same background for his play, *Le Lanceur de graine*, which was presented in 1933. His growing reputation was consolidated by further novels, two of the most notable being *Le Chant du monde* (1934) and *Le Poids du ciel* (1938). His continuing interest in the theatre became evident when he presented *Le Bout de la route* in 1941, and *La Femme du boulanger* in 1944; interspersed were two more novels, *Triomphe de la vie* (1942), and *L'Eau vive* (1943).

The war affected him deeply, and his pacifist philosophy caused him to preach a policy of non-intervention which brought him a measure of unpopularity. Perhaps as a result, the simplicity of his writing, characterised as it was by a conscious use of rustic speech, became increasingly stark. This was noticeable in his post-war work, starting with *Un Roi sans divertissement* and *Noé* in 1947, and continuing throughout the nineteen-fifties and sixties with *Le Hussard sur le toit* (1951), *Le Moulin de Pologne* (1952), *Le Désastre de Pavie* (1963) and *Deux cavaliers de l'orage* (1965). His last major novel, *Ennemonde*, appeared a year before his death in 1970. He was elected to the *Académie Goncourt* in 1954.

Solitude de la Pitié

par JEAN GIONO

Ils étaient assis contre le portillon de la gare. Ils ne savaient quel parti prendre,* regardant la patache* puis la route huilée de pluie. L'après-midi d'hiver était là dans la boue blanche et plate comme un linge tombé de l'étendoir.*

Le plus gros des deux se dressa. Il fouilla des deux côtés dans sa grande housarde* de velours, puis il cura* du bout des doigts la petite poche de charpentier. Le postillon grimpait sur le siège. Il faisait déjà claquer la langue* et les chevaux dressaient l'oreille. L'homme cria: « Attendez. » Puis il dit au compagnon: « Viens. » et celui-là vint. Il flottait, tout maigre, dans une épaisse houppelande* de berger à bout d'usage. Le cou sortait de la bure,* décharné* comme une tresse de fer.

— C'est pour où, demanda le gros?

— Pour la ville.

— C'est combien?

— Dix sous.

— Monte, dit le gros.

Il se baissa, écarta les pans de la houppelande, haussa la jambe de l'autre jusqu'au marchepied:

— Monte, il lui dit; fais effort, vieux.

Il fallait laisser le temps à la demoiselle de ramasser ses cartons et de se pousser. Elle avait un bon nez tout blanc à grosse ligne et elle savait qu'on voyait son nez sous la poudre de riz, alors elle regardait toujours un peu de côté comme d'un air méchant, et c'est pour ça que le gros lui dit: « Pardon, Mademoiselle ». Il y avait, en face, une madame potelée,* douillette,* dans un manteau avec de la fourrure au col et aux manches; un commis-voyageur qui se serrait contre la madame, et, pour mieux la toucher au bas des seins avec son coude, il mit son pouce dans l'entournure* de son gilet.

— Appuie-toi là, dit le gros en haussant l'épaule.

L'autre pencha sa tête et la posa.

Il avait de beaux yeux bleus immobiles comme de l'eau morte.

On allait au pas parce que ça montait.* Le bleu des yeux accompagnait le passage des arbres. Sans cesse, comme pour les compter. Puis, on traversa des champs plats et il n'y eut plus rien dans la vitre que le ciel gris tout pareil. Le regard s'immobilisa comme un clou.* Il allait se planter droit dans la madame potelée mais il avait l'air de regarder au travers, plus loin, tout triste, comme un regard de mouton.

La dame serra son col de fourrure. Le commis-voyageur toucha le devant de son pantalon pour voir si c'était bien boutonné. La demoiselle tira sur sa jupe comme pour l'allonger.

Ce regard était toujours planté au même endroit. Il y déchirait, il y faisait du pus comme une épine.

La dame essuya ses lèvres avec la peau de son gant; elle sécha ses lèvres qui luisaient d'une salive douce. Le commis-voyageur toucha encore le devant de son pantalon puis il déroula son bras plié en imitant un qui a la crampe. Il essaya de fixer en face ce regard d'eau morte mais il baissa les yeux puis il mit la main comme sur son cœur. Le portefeuille y était bien. Il le palpa* quand même dans son contour et dans son épaisseur.

Une ombre emplit la voiture; la petite ville accueillait l'avenue de la gare avec ses deux bras de maisons pleins de dartres.* Elle présentait d'un côté un « Hôtel du Commerce et des jardins » de l'autre, trois épiceries jalouses et aigres.

Monsieur le Curé débourra* sa pipe dans le bassin aux offrandes, le cendrier était là-bas sur le rebord du prie-dieu. Il mit la pipe chaude à l'étui.* Il s'agissait maintenant de classer par rues et par maisons ces numéros des *Veillées Religieuses* qu'il allait distribuer aux abonnés. Il manquait trois livraisons. Il souleva les livres et un numéro de *La Croix* tout étalé. A la fin, elles étaient là, sous le paquet de fressure* de porc que son frère venait d'apporter « Ça n'a pas plus de soin... » Une couverture était tachée. Il l'inclinait dans le jour gris de la fenêtre pour voir si ça se voyait bien, si, en le donnant de biais... ou bien alors, il n'y avait qu'à le donner, tel qu'à Mme Puret la lampiste: elle n'y voit guère; elle a toujours les doigts pleins de pétrole; elle croira que c'est elle.

Il y avait aussi, là, sur le plancher et laissée aussi par l'Adolphe, une

plaque de fumier d'écurie à l'empreinte d'un talon. M. le Curé se
leva et, à petits coups de pointe de soulier poussa l'ordure jusqu'à
l'âtre.*

— Marthe, on a sonné.

— Quoi? demanda Marthe en poussant la porte de la cuisine.

— On a sonné, je dis.

Sur la servante, la mince ficelle du tablier départageait les grosses
mamelles et le ventre.

— Encore. Aussi Monsieur, vous pourriez un peu aller voir. Toujours
monter, descendre, moi, avec mes jambes... mon emphysème*... Vous
en verrez la fin, à la fin.

On sonna encore une fois.

— Allez un peu voir, vous. Si c'est peu de chose, vous le réglerez en
bas. Avec ce temps, ceux qui montent me salissent partout.

Elle avait la figure toute mouillée de graisse.

— C'est en plaçant les bardes* de lard, elle dit. Le garde-manger est
trop haut. Une a glissé et je l'ai retenue avec la joue.

— Voilà, cria le curé dans le couloir.

Puis il tira les verrous et ouvrit la porte.

— Bonjour Monsieur, dit le gros.

Le maigre aux yeux bleus était là derrière à grelotter* dans sa
houppelande.

— On ne peut pas donner, dit le curé en les voyant.

Le gros retira son chapeau. Le maigre porta la main en l'air, le
regard planté dans le curé.

— Vous n'auriez pas quelque petit travail? dit le gros.

— Un travail?

Et le curé avait l'air de réfléchir, mais en même temps il poussait
doucement la porte.

— Un travail.

Il ouvrit la porte en plein.

— Entrez, il dit.

Le gros qui avait remis son chapeau l'enleva encore à la précipitée.

— Merci bien, monsieur le Curé, merci bien.

Et il râcla* ses souliers au râcloir,* et il entra en courbant un peu
l'échine, malgré la haute imposte de la porte.

L'autre ne dit rien, il entra, tout haut et les pieds sales; il suivait les gestes du curé avec le froid triste de ses yeux bleus.

On entrait dans un couloir charretier* parce que la cure avait été dans le temps une maison à seigneurs de champs. Venait après une cour carrée; dans cette cour, les escaliers s'appuyaient puis montaient à grands élans carrés comme la cour.

— Attendez-moi là, se souvint de dire le curé en regardant les pieds boueux.

Il monta.

Le gros eut un petit sourire en silence.

— Tu vois, ça va aller, il dit. Vingt sous qu'on a dépensés...

— Marthe..., dit le curé en entrant, puis aussitôt:

— Qu'est-ce que tu fais-là?

C'était un plat posé chaud sur la table de bois blanc et là-dedans la fressure grésillait* avec des morceaux de foie violets comme des fleurs et des ris en grappe.*

— Une « picoche »*, dit Marthe.

Et elle se mit à verser en mince fil un vin épais à parfum de cep.* La graisse bouillante se tut.

— C'est pour ce soir? demanda le curé.

— Oui.

— Dis-moi, Marthe, sais-tu à quoi j'ai pensé? Si on profitait de se faire arranger le tuyau de la pompe?

— Faudrait descendre dans le puits, dit Marthe qui réglait le fil du vin.

— Eh oui, dit le curé.

Elle ne dit rien, puis elle releva le goulot* d'un coup sec; elle porta le plat au feu.

— Et vous le trouverez, vous, celui qui descendra? Vous savez ce qu'il a dit, le plombier. Il n'avait pas envie de se tuer. C'est un vieux puits, et puis, de ce temps, vous le trouverez, vous?...

— Ecoute: il y en a deux, en bas, qui demandent quelque chose à faire. Ça a l'air de gens qui ont besoin.

— Alors, faut profiter, dit Marthe, parce que, vous savez, le plombier il n'y descendra jamais, il me l'a dit. S'ils ont besoin, faut profiter.

— Voilà ce dont il s'agit, dit le curé. Nous avons une pompe, et le tuyau de plomb était cramponné* contre la paroi* du puits. Le crampon ou les crampons ont dû lâcher. Le tuyau s'est décollé, on pourrait dire, et il fait le serpent dans le vide. Il pèse comme ça sur les boulons* d'en haut et ça pourrait s'arracher en plein. J'ai de ces crampons justement Il faudrait descendre...

— Il est profond votre puits? demanda le gros.

— Non, dit le curé, non, oui, enfin, pas trop, vous savez, c'est un puits de maison: quinze, vingt mètres au plus.

— Il est loin?

— Non, il est là.

Le curé marcha vers un côté de la cour et le gros suivait, et l'autre suivant dans sa houppelande. C'était un portillon dans le mur et, dessous, une auge* en vieille pierre mangée d'eau. Il ouvrit le portillon, les gonds* crièrent et il tomba deux ou trois peaux de rouille sur les dalles.

— Voilà, vous voyez.

Le puits souffla une aigre haleine de plantes de nuit et d'eau profonde. Il y eut le « sssglouf » d'une pierraille* détachée et qui tomba. Le curé, très en arrière, se pencha, et en même temps il reculait son derrière et on entendait se crisper ses orteils dans son soulier.

— Voilà, vous voyez.

Il eut l'air de vouloir s'excuser.

— Comme vous êtes deux, dit-il.

Le gros regarda alors son compagnon. Il était, là, toujours flottant dans sa houppelande grise. Il n'avait pas de visage, sauf les yeux, les yeux bleus froids, toujours plantés dans la soutane noire du curé mais regardant au travers et par delà, l'âme triste du monde.

Il tremblait et il avalait péniblement sa salive à grands coups de pomme d'Adam.

— Bon, monsieur le Curé, dit le gros, ça fera, je suis seul, mais ça fera.

Marthe parut au balcon de la galerie.

— Monsieur le Curé, ça va être l'heure de votre leçon de musique.

A ce moment juste on sonnait. Il alla ouvrir: c'était un petit garçon blond dans un beau paletot* de laine.

— Montez, monsieur René, dit le curé, je vous suis.

Il revint vers les hommes.

— Le mur est peut-être un peu mauvais, dit-il.

— Mets-toi là, dit le gros.

Il y avait, au fond de la cour, une porte. Derrière on entendait courir et crier des lapins.

— Mets-toi là, assieds-toi. Tu n'as pas froid, pas trop?...

Puis il s'assit à côté et il commença à délacer ses souliers.

— J'aime mieux pieds nus. On se retient des ongles...

Puis il déboutonna son pantalon housarde et il le retira.

— La jambe joue mieux, et puis c'est lourd. Mets-le sur toi ça te tiendra chaud.

La respiration du puits fumait dans l'air froid de la cour.

— Si j'ai besoin, je crierai, dit-il au moment où il enjamba le rebord.

Il se tenait encore des mains et on voyait encore sa tête. Il regardait en bas dans le noir; on sentait qu'il était en train d'assujettir ses pieds.

— Je vois les trous, vieux, ça va aller.

Il disparut.

On entendait un air d'harmonium: une spirale de notes montantes qui s'accrochaient trois en trois et dardaient, semblait-il jusqu'au ciel, le balancement d'une tête de serpent.

C'était joué assez habilement par M. le Curé, puis, repris après un silence, par les mains gourdes* de M. René.

Le jour diminua.

Sur la galerie de bois, là-haut au premier étage, il y avait une rangée de pots à cactus et un pot avec une touffe de violettes. L'homme regarda les fleurs. La nuit coulait dans la cour comme le fil d'une fontaine; bientôt, on ne vit plus les fleurs; la nuit montait jusqu'au deuxième, étage.

L'homme se dressa. Il s'approcha du puits, chercha l'ouverture en tâtonnant de la main. Il se pencha. On entendait en bas, semblait-il, une espèce de râclement.

— Hé, il cria.

— Hé, répondit l'autre, d'en bas.

Ça vint au bout d'un moment, tout étouffé dans un matelas d'air.

— Tiens-toi bien, dit l'homme.

— Oui, répondit la voix. Puis elle demanda: et toi, là-haut, ça va?

L'homme revint s'asseoir au moment où Marthe ouvrait la porte et paraissait à la galerie du premier, une lampe à la main.

— Vous y verrez, comme ça, monsieur René?

« Tirez la porte.»

Le garçon blond tira la porte. Marthe regarda dans la cour.

— Ils sont partis je crois, dit-elle.

Le gros marcha dans l'ombre. On entendait ses pieds boueux claquer sur les dalles froides.

— Tu es là, il demanda?

— Oui.

— Donne-moi mes pantalons. C'est fini.

— Fait pas chaud, dit-il, encore une fois vêtu.

La maison était toute silencieuse sauf le grésillement d'une friture qui coulait du premier.

Il appela:

— Monsieur le Curé.

La friture empêchait. Il cria:

— Monsieur le Curé.

— Quoi? demanda Marthe.

— C'est fait, dit l'homme.

— Quoi? demanda encore Marthe.

— La pompe.

— Ah! Bon, je vais voir.

Elle rentra dans la cuisine et essaya de donner un coup de pompe à l'évier.* L'eau coula. Monsieur le Curé lisait près du poêle dans le grésillement de la friture.

— Ça coule, elle dit.

Il leva à peine les yeux.

— Bon, va les payer.

— Combien je donne? Ça a été vite fait, somme toute.

— ... et tirez bien la porte...

Mais elle les accompagna, les regarda sortir, puis enclincha* durement le loquet, poussa le verrou, mit la barre.

Il tombait une pluie tenace et froide.

Sous le réverbère, l'homme ouvrit sa main. C'était dix sous. Les yeux bleus regardaient la petite pièce et la main toute mâchurée* d'égratignures et de boue.

— Tu te fatigueras, dit-il, je te suis une chaîne, moi, malade. Tu te fatigueras, laisse-moi.

— Non, dit le gros. Viens.

© Gallimard 1952

NOTES

page 100 Ils ne savaient quel parti prendre – *They couldn't make up their minds*

la patache – *the ramshackle conveyance*

l'étendoir – *the clothes-line*

sa grande housarde de velours – *his big velvet riding-breeches*

il cura du bout des doigts – *he cleaned out with his finger-tips*

la langue – *the whip*

une épaisse houppelande – *a heavy great-coat*

la bure – *homespun cloth*

décharné – *scraggy*

une madame potelée, douillette – *a plump, rather spoilt lady*

l'entournure – *the arm-hole*

page 101 çà montait – *the road was climbing. Popular usage*

Le regard s'immobilisa comme un clou – *His glance became still and piercing*

Il le palpa – *He examined it*

bras de maisons pleins de dartres – *rows of houses full of patches of dry-rot*

Monsieur le curé débourra sa pipe – *The parish-priest knocked out his pipe*

l'étui – *the pipe-rack*

fressure de porc – *pig's pluck; pig's offal*

page 102 l'âtre – *the hearth*

mon emphysème – *my congestion of the lungs*

les bardes de lard – *the rashers of bacon*

grelotter – *to shiver*

page 102 il râcla ses souliers au râcloir – *he scraped his shoes on the foot-scraper*

page 103 un couloir charretier – *a carriageway*

la fressure grésillait – *the offal was sizzling*

en grappe – *in a bunch; in a ball*

Une *picoche* – *a local name for the dish which is being prepared*

un vin épais à parfum de cep – *a full-bodied wine which gave off a strong bouquet of vine-stocks*

le goulet – *the neck of the bottle*

page 104 cramponné contre la paroi du puits – *clamped against the side of the well*

les boulons – *the fastenings*

une auge – *a trough*

les gonds – *the hinge-pins*

une pierraille – *a lump of rubble; a shower of stones. The '-aille' suffix can have either a pejorative meaning, e.g. canaille, or a collective one, e.g. ferraille*

un beau paletot de laine – *a fine woollen overcoat*

page 105 les mains gourdes de M. René – *Master René's stiff hands*

page 106 l'évier – *the sink*

puis enclincha durement le loquet – *then firmly fastened the latch*

page 107 mâchurée – *bruised*

Eugène Ionesco

Eugène Ionesco was born on November 26th, 1912, in Slatina, Roumania, the son of a Roumanian father and a French mother, and he did not take up permanent residence in France until 1938. He appears to have had few literary pretentions until 1948 when he bought a set of gramophone records in order to learn English. This project does not seem to have had any great success, but he was struck by the idiocy of the speech patterns and the artificiality of the situations used in the attempt to establish communication between one group of human beings and another. Further observation led him to believe that there was a similar lack of worthwhile communication in everyday life. His fascination with this situation led in 1950 to *La Cantatrice chauve* which is perhaps still his best known work, and which he based on the situations used in his manual of English and recorded in all their futility on his gramophone records.

Ionesco tends to work by writing a short story around a basic situation and then transposing it to the stage by adding dialogue which underlines the inability of man to communicate in anything except worthless platitudes. Most of his plays such as *La Leçon* (1950), *Les Chaises* (1952), *Victimes du devoir* (1953) and *Le Tableau* (1955) are relatively short; his first attempt at a full-length play was *Tueur sans gages* in 1959, a play which he based on the short story included in the present selection. Up to this point in his career he had appealed to the avant-garde, but now he began to attract a wider public, especially after Jean-Louis Barrault produced *Rhinocéros* (1960) in which he also played the role of Béranger; the same part was played in the London production by Laurence Olivier. This play established the exponent of anti-theatre and member of the *Collège de 'Pataphysique*[1] as a major dramatist, a reputation upheld

---

[1] The *Collège de 'Pataphysique* was founded soon after the Second World War by Dr I. L. Sandomir in order to provide a meeting ground for anyone interested in the so-called 'pataphysical sciences first brought to realisation in the work of Alfred Jarry. An exact definition of 'pataphysics is well-nigh impossible, but

by his next plays, *Le Roi se meurt, Le Piéton de l'air, La Soif et la faim, Mêlées et démêlées, Délire à deux* and *Macbett*. Needless to say that success has caused his standing among the avant-garde to slump a little. Some account of his point of view is to be found in *Notes et contre-notes* (1962) and in *Journal en miettes* (1967).

La Photo du Colonel

par EUGÈNE IONESCO

J'étais allé voir le beau quartier, avec ses maisons toutes blanches entourées de petits jardins fleuris. Les rues, larges, étaient bordées d'arbres. Des voitures neuves, bien astiquées,* stationnaient devant les portes, devant les allées des jardins. Le ciel était pur, la lumière bleue. J'enlevai mon pardessus, le mis sur mon bras.

« C'est la règle, dans ce coin, me dit mon compagnon, architecte de la municipalité, le temps y est toujours beau. Aussi, les terrains y sont-ils vendus très cher, les villas construites avec les meilleurs matériaux: c'est un quartier de gens aisés, gais, sains, aimables.

— En effet... Ici, je remarque, les feuilles des arbres ont déjà poussé, suffisamment pour laisser filtrer la lumière, pas trop pour ne pas assombrir les façades, alors que, dans tout le reste de la ville, le ciel est gris comme les cheveux d'une vieille femme, et qu'il y a encore de la neige durcie au bord des trottoirs, qu'il y vente. Ce matin, j'ai eu froid au réveil. C'est curieux, on est, tout à coup, au milieu du printemps; c'est comme si je me trouvais à mille kilomètres au sud. Quand on prend l'avion, on a ce sentiment d'avoir assisté à la transfiguration du monde. Encore faut-il aller jusqu'à l'aérodrome, voler deux heures, ou davantage,

it has been said that "Pataphysics is the science of the realm beyond metaphysics'. It appears to be a reaction against physical science and against a scientific way of thinking, and in many ways it takes the form of benevolent anarchy. Other members of the *Collège de 'Pataphysique* are Jacques Prévert, Raymond Queneau and René Clair. A useful reference is an article in which various people attempt to define the objects and philosophy of the *Collège:* "What is 'Pataphysics?", *Evergreen Review*, No 13, Grove Press, New York, 1960.

pour voir l'univers se métamorphoser en côte d'azur, par exemple.
Tandis que là, à peine ai-je pris le tramway. Le voyage, qui n'en est pas
un, a lieu sur les lieux mêmes, si vous voulez bien excuser ce mauvais
petit jeu de mots, d'ailleurs involontaire, fis-je, avec un sourire, à la fois
spirituel et contraint. Comment expliquez-vous cela? Est-ce un endroit
mieux protégé? Il n'y a pas de collines, pourtant, tout autour, pour
abriter contre le mauvais temps. D'ailleurs, les collines ne chassent
pas les nuages, n'abritent pas de la pluie, n'importe qui le sait. Est-ce
qu'il y a des courants chauds et lumineux,* venant d'en bas ou d'en
haut? On en serait informé. Il n'y a aucun vent, bien que l'air sente bon.
C'est curieux.

— C'est un îlot, tout simplement, répondit l'architecte de la ville, une
oasis, comme il y en a un peu partout, dans les déserts où vous voyez
surgir, au milieu des sables arides, des cités surprenantes, couvertes de
roses fraîches, ceinturées de sources, de rivières.

— Ah! oui, c'est juste. Vous parlez de ces cités que l'on appelle auss
mirages », dis-je pour montrer que je n'étais pas complètement
ignorant.

Nous longeâmes quelque temps un parc de gazon, avec, en son
centre, un bassin. Puis, de nouveau, les villas, les hôtels particuliers, les
jardins, les fleurs. Nous parcourûmes ainsi près de deux kilomètres. Le
calme était parfait, reposant: trop, peut-être. Cela en devenait inquié-
tant.

« Pourquoi ne voit-on personne dans les rues? demandai-je. Nous
sommes les seuls promeneurs. C'est, sans doute, l'heure du déjeuner, les
habitants sont chez eux. Pourquoi, cependant, n'entend-on point les
rires des repas, le tintement des cristaux? Il n'y a pas un bruit. Toutes les
fenêtres sont fermées! »

Nous étions justement arrivés près de deux chantiers* récemment
abandonnés. Les bâtiments, à moitié élevés, étaient là, blancs au milieu de
la verdure, attendant les constructeurs.

« C'est assez charmant! remarquai-je. Si j'avais de l'argent — hélas,
je gagne très peu, — j'achèterais un de ces emplacements; en quelques
jours, la maison serait édifiée, je n'habiterais plus avec les malheureux,
dans ce faubourg sale, ces sombres rues d'hiver ou de boue ou de
poussière, ces rues d'usines. Ici, ça sent si bon », dis-je, en aspirant un
air doux et fort qui soûlait les poumons.

Mon compagnon fronça les sourcils :

« La police a suspendu les constructions. Mesure inutile, car plus personne n'achète des lotissements. Les habitants du quartier voudraient même le quitter. Ils n'ont pas où loger autre part. Sans cela, ils auraient tous plié bagage.* Peut-être aussi se font-ils un point d'honneur de ne pas fuir. Ils préfèrent rester, cachés, dans leurs beaux appartements. Ils n'en sortent qu'en cas d'extrême nécessité, par groupes de dix ou quinze. Et même alors, le risque n'est pas écarté.

— Vous plaisantez ! Pourquoi prenez-vous cet air sérieux, vous assombrissez le paysage ; vous voulez me donner la frousse*?

— Je ne plaisante pas, je vous assure. »

Je sentis un coup au cœur. La nuit intérieure m'envahit. Le paysage resplendissant, dans lequel je m'étais enraciné, qui avait, tout de suite, fait partie de moi-même ou dont j'avais fait partie, se détacha, me devint tout à fait extérieur, ne fut plus qu'un tableau dans un cadre, un objet inanimé. Je me sentis seul, hors de tout, dans une clarté morte.

« Expliquez-vous ! implorai-je. Moi qui espérais passer une bonne journée !... J'étais si heureux, il y a quelques instants ! »

Nous retournions, précisément, au bassin.

« C'est là, me dit l'architecte de la municipalité, là dedans, qu'on en trouve, tous les jours, deux ou trois, des noyés.

— Des noyés ?

— Venez donc vous convaincre que je n'exagère pas. »

Je le suivis. Arrivés au bord du bassin, j'aperçus, en effet, flottant sur l'eau, le corps d'un officier du génie,* gonflé, et celui d'un garçonnet de cinq ou six ans, roulé dans son cerceau, et tenant, dans sa main crispée, un bâtonnet.

« Il y en a même trois, aujourd'hui, murmura mon guide. Là », fit-il, en indiquant du doigt.

Une chevelure rousse, que j'avais prise, une seconde, pour de la végétation aquatique, émergeait du fond, demeurait accrochée sur le marbre qui bordait la pièce d'eau.

« Quelle horreur ! C'est une femme, sans doute ?

— Évidemment, dit-il en haussant les épaules, l'autre c'est un homme, et l'autre un enfant. Nous n'en savons pas plus.

— C'est peut-être la mère du petit... Les pauvres ! Qui a fait ça ?

— L'assassin. Toujours le même personnage. Insaisissable.

— Mais notre vie est menacée. Allons-nous-en! m'écriai-je.

— Avec moi, vous ne courez aucun danger. Je suis architecte de la ville, fonctionnaire municipal; il ne s'attaque pas à l'administration. Lorsque je serai à la retraite, cela changera, mais, pour le moment...

— Allons-nous-en», fis-je.

Nous nous éloignâmes à grands pas. J'avais hâte de quitter le beau quartier. « Les riches ne sont pas toujours heureux! » pensai-je. J'en ressentis une détresse indicible. Je me sentis fourbu,* meurtri, l'existence vaine. « A quoi bon tout, me disais-je, si ce n'est que pour en arriver là? »

« Vous espérez bien l'arrêter avant de prendre votre retraite? demandai-je.

— Ce n'est pas facile!... Vous pensez que nous faisons tout ce que nous pouvons... », répondit-il, d'un air morne. Puis: « Pas par là, vous allez vous égarer, vous tournez tout le temps en rond, vous ne faites que revenir sur vos pas...

— Guidez-moi... Ah! la journée avait si bien commencée. Je verrai toujours ces noyés, cette image n'abandonnera jamais ma mémoire!

— Je n'aurais pas dû vous montrer...

— Tant pis, mieux vaut tout connaître, mieux vaut tout connaître... »

En quelques instants, nous fûmes à la sortie du quartier, au bout de l'allée en marge du Boulevard Extérieur, à l'arrêt du tramway qui traverse la ville. Des gens étaient là, qui attendaient. Le ciel était sombre. J'étais glacé. Je remis mon pardessus, nouai mon foulard autour du cou. Il pleuvait finement, de l'eau mêlée de neige, le pavé était mouillé.

« Vous n'allez pas rentrer tout de suite chez vous? » me dit le commissaire (c'est ainsi que j'appris qu'il était aussi commissaire). « Vous avez bien le temps de boire un verre... »

Le commissaire semblait avoir repris sa gaieté. Pas moi.

« Il y a un bistrot, là, près de l'arrêt, à deux pas du cimetière, on y vend aussi des couronnes.*

— Je n'ai guère envie, vous savez...

— Ne vous en faites pas.* Si on pensait à tous les malheurs de l'humanité, on ne vivrait pas. Tout le temps il y a des enfants égorgés, des vieillards affamés, des veuves, des orphelins, des moribonds.

— Oui, monsieur le commissaire, mais avoir vu cela de près, de mes yeux vu..., je ne puis demeurer indifférent.

H

— Vous êtes trop impressionnable », répondit mon compagnon, me donnant une grosse tape sur l'épaule.

Nous entrâmes dans la boutique.

« Nous allons tâcher de vous consoler!... Deux demis! » commanda-t-il.

Nous nous installâmes près de la fenêtre. Le gros patron, en gilet, les manches retroussées laissant voir ses énormes bras poilus, vint nous servir:

« Pour vous, j'ai de la vraie bière! »

Je fis un geste pour payer.

« Laissez, laissez, dit le commissaire, c'est ma tournée! »

J'étais toujours abattu.

« Au moins, dis-je, si vous aviez son signalement!

— Mais nous l'avons. Du moins, celui sous lequel il opère. Son portrait est affiché sur tous les murs.

— Comment l'avez-vous eu?

— On l'a trouvé sur des noyés. Quelques-unes de ses victimes, agonisantes,* rappelées à la vie pour un moment, ont pu même nous fournir des précisions supplémentaires. Nous savons aussi comment il s'y prend. Tout le monde le sait, d'ailleurs, dans le quartier.

— Mais alors pourquoi ne sont-ils pas plus prudents? Ils n'ont qu'à l'éviter.

— Ce n'est pas si simple. Je vous le dis, il y en a toujours, tous les soirs, deux ou trois qui tombent dans le piège. Mais lui, il ne se fait jamais prendre.

— Je n'arrive pas à comprendre. »

J'étais étonné de m'apercevoir que cela avait plutôt l'air d'amuser l'architecte.

« Tenez, me dit-il, c'est là, à l'arrêt du tramway qu'il fait son coup. Lorsque des passagers en descendent, pour rentrer chez eux, il va à leur rencontre, déguisé en mendiant. Il pleurniche,* demande l'aumône, tâche de les apitoyer. C'est le truc habituel: il sort de l'hôpital, n'a pas de travail, en cherche, n'a pas où passer la nuit. Ce n'est pas cela qui réussit, ce n'est qu'une entrée en matière.* Il flaire,* il choisit la bonne âme. Entame la conversation avec elle, s'accroche, ne la lâche pas d'une semelle.* Il propose de lui vendre de menus objets qu'il sort de son panier, des fleurs artificielles, des ciseaux, des miniatures obscènes,

n'importe quoi. Généralement, ses services sont refusés, la bonne âme
se dépêche, elle n'a pas le temps. Tout en marchandant, il arrive avec
elle près du bassin que vous connaissez. Alors, tout de suite, c'est le
grand moyen : il offre de lui montrer la photo du colonel. C'est irrésistible. Comme il ne fait plus très clair, la bonne âme se penche pour mieux
voir. A ce moment, elle est perdue. Profitant de ce qu'elle est confondue
dans la contemplation de l'image, il la pousse, elle tombe dans le bassin,
elle se noie. Le coup est fait. Il n'a plus qu'à s'enquérir d'une nouvelle
victime.

— Ce qui est extraordinaire, c'est qu'on le sache et qu'on se laisse
surprendre quand même.

— C'est un piège, que voulez-vous. C'est astucieux. Il n'a jamais été
pris sur le fait.* »

Machinalement, je regardai les gens descendre du tramway qui,
justement, venait d'arriver. Je n'y vis aucun mendiant.

« Vous ne le verrez pas, me dit le commissaire, devinant ma pensée, il
ne se montrera pas, il sait que nous sommes là.

— Peut-être feriez-vous bien de poster, à cet endroit, un inspecteur en
civil, de façon permanente.

— Ce n'est pas possible. Nos inspecteurs sont débordés,* ils ont autre
chose à faire. D'ailleurs, eux aussi voudraient voir la photo du colonel. Il
y en a eu déjà cinq de noyés, comme ça. Ah ! si nous avions les preuves,
nous saurions où le trouver ! »

Je quittai mon compagnon, non sans l'avoir remercié d'avoir bien
voulu m'emmener visiter le beau quartier, et aussi de s'être si aimable-
ment laissé interviewer au sujet de tous ces crimes impardonnables.
Hélas, ses révélations instructives ne paraîtront dans aucun quotidien :
je ne suis pas journaliste, je ne me suis jamais vanté de l'être. Les ren-
seignements du commissaire-architecte avaient été purement bénévoles.
Ils m'avaient rempli d'angoisse, gratuitement. Ce fut plein d'un malaise
indéfinissable que je regagnai la maison.

Édouard m'y attendait dans le salon de l'éternel automne, bas de
plafond, sombre (l'électricité ne fonctionne pas dans la journée). Il
était là, assis sur le bahut,* près de la fenêtre, de noir vêtu,* tout mince,
la figure pâle et triste, les yeux ardents. Sans doute avait-il encore un
peu de fièvre. Il remarqua que j'étais accablé, m'en demanda la raison.

Lorsque je voulus lui exposer l'affaire, il m'arrêta dès les premiers mots: il connaissait l'histoire, m'apprit-il de sa voix tremblante, presque enfantine, il était même surpris que je ne l'eusse pas connue, moi-même, plus tôt. Toute la ville était au courant. C'est pour cela qu'il ne m'en avait jamais parlé. C'était une chose sue depuis longtemps, assimilée. Regrettable, certes.

« Très regrettable! » fis-je.

A mon tour, je ne lui cachai pas ma surprise qu'il n'en fût pas plus bouleversé. Après tout, peut-être étais-je injuste, peut-être était-ce cela le mal qui le rongeait, car il était tuberculeux. On ne peut connaître le cœur des gens.

« Si on allait se promener un peu, dit-il. Je vous attends depuis une heure. Je gèle chez vous. Il fait certainement plus chaud dehors. »

Quoique déprimé,* fatigué (j'aurais préféré aller me coucher), j'acceptai de l'accompagner.

Il se leva, mit son chapeau de feutre, orné d'un crêpe noir, son pardessus gris-fer, prit sa lourde serviette bourrée qu'il laissa tomber avant d'avoir fait un pas. Celle-ci s'ouvrit dans sa chute. Nous nous précipitâmes, en même temps. D'une des poches de la serviette, des photos s'étaient échappées, représentant un colonel en grand uniforme, moustachu, un colonel quelconque, une bonne tête plutôt attendrissante. Nous mîmes la serviette sur la table, pour y fouiller plus à l'aise: nous en sortîmes encore des centaines de photos avec le même modèle.

« Qu'est-ce que cela veut dire? demandai-je, c'est la photo, la fameuse photo du colonel! Vous l'aviez là, vous ne m'en aviez jamais parlé!

— Je ne regarde pas tout le temps dans ma serviette, répliqua-t-il.

— C'est votre serviette pourtant, vous ne vous en séparez jamais!

— Ce n'est pas une raison.

— Bref, profitons de l'occasion, tant qu'on y est, cherchons encore. »

Il plongea, dans les autres poches de son énorme serviette noire, sa main trop blanche d'infirme, aux doigts recourbés. Il en retira (comment tout cela pouvait-il tenir là dedans) des quantités inimaginables de fleurs artificielles, des images obscènes, des bonbons, des tirelires,* des montres d'enfant, des épingles, des porte-plumes, des boîtes en carton, que sais-je encore, tout un fourbi,* des cigarettes (« Celles-là m'appartiennent », dit-il). Il n'y avait plus de place sur la table.

— Ce sont les objets du monstre! m'écriai-je. Vous les aviez là!

— Je n'en savais rien.

— Videz tout, l'encourageai-je. Allez! »

Il continua de fouiller. Des cartes de visite apparurent avec le nom, l'adresse du criminel, sa carte d'identité avec photo, puis, dans un petit coffret, des fiches avec les noms de toutes les victimes; un journal intime que nous feuilletâmes, avec ses aveux détaillés, ses projets, son plan d'action minutieux, sa déclaration de foi, sa doctrine.

« Vous avez là toutes les preuves. Nous pouvons le faire arrêter.

— Je ne savais pas, balbutia-t-il, je ne savais pas…

— Vous auriez pu épargner tant de vies humaines, lui reprochai-je.

— Je suis confus. Je ne savais pas. Je ne sais jamais ce que j'ai, je ne regarde pas dans ma serviette.

— C'est une négligence condamnable! dis-je.

— Je m'en excuse. Je suis navré.

— Enfin, Édouard, tout de même, ces choses ne sont pas venues toutes seules là dedans. Vous les avez trouvées, vous les avez reçues! »

J'eus pitié. Il était devenu tout rouge, vraiment honteux.

Il fit un effort de mémoire.

« Ah, oui! s'écria-t-il au bout de quelques secondes. Je me rappelle à présent. Le criminel m'avait envoyé son journal intime, ses notes, ses fiches, il y a bien longtemps, me priant de les publier dans une revue littéraire, c'était avant l'accomplissement des meurtres; j'avais complètement perdu tout cela de vue. Je crois que lui-même ne pensait pas les perpétrer; il n'a dû songer que par la suite à mettre ses projets en acte; quant à moi, j'avais pris cela pour des rêveries, ne portant pas à conséquence, de la science-fiction. Je regrette de ne pas avoir réfléchi à la question, de ne pas avoir mis tous ces documents en rapport avec les événements.

— Le rapport est, pourtant, celui de l'intention à la réalisation, ni plus, ni moins, c'est clair comme le jour. »

De la serviette, il retira aussi une grande enveloppe que nous ouvrîmes: c'était une carte, un plan très précis avec, bien indiqués, tous les endroits où se trouvait l'assassin, et son horaire exact, minute par minute.

C'est simple, dis-je. Avertissons la police, il ne reste plus qu'à le cueillir. Dépêchons-nous, les bureaux de la préfecture ferment avant la nuit. Après, il n'y a plus personne. D'ici demain, il pourrait modifier ses plans. Allons voir l'architecte, montrons-lui les preuves.

— Je veux bien », fit Édouard, plutôt indifférent.

Nous sortîmes en courant. Dans le couloir, nous bousculâmes la concierge, au passage : « On n'a pas idée… » s'écria-t-elle. Le reste de sa phrase se perdit dans le vent.

Sur la grande avenue, essoufflés, nous dûmes ralentir. A droite, les champs s'étendaient, labourés, à perte de vue. A gauche, les premiers immeubles de la ville. Droit devant nous, le soleil couchant empourprait le ciel. Des deux côtés, de rares arbres, dépouillés. Peu de passants.

Nous longions les rails du tramway (celui-ci ne circulait-il déjà plus ?) qui s'étendaient, loin, jusqu'à l'horizon.

Trois ou quatre gros camions militaires, venus je ne sais d'où, bloquèrent soudain la route. Ils étaient stoppés, en marge du trottoir ; celui-ci, à cet endroit, descendait sous le niveau de la chaussée qui, elle, semblait, de ce fait, surélevée.

Édouard et moi dûmes nous arrêter un instant : heureusement, car cela me permit de m'apercevoir que mon ami n'avait pas sa serviette : « Qu'en avez-vous fait, je croyais pourtant que vous l'aviez sur vous ? » lui dis-je. L'étourdi*! Il l'avait oubliée à la maison, dans notre précipitation.

« Ça ne servirait à rien d'aller voir le commissaire sans nos preuves ! A quoi pensez-vous donc ? Vous êtes ahurissant*! Retournez vite la chercher. Je dois continuer mon chemin, il faut, au moins, que j'aille à la préfecture, prévenir le commissaire à temps, qu'il attende. Dépêchez-vous, retournez, tâchez de me rejoindre au plus tôt. La préfecture est tout au bout. Dans une entreprise comme celle-ci, je n'aime pas être seul sur la route, c'est désagréable, vous comprenez. »

Édouard disparut. J'avais assez peur. Le trottoir s'enfonçait davantage, si bien que l'on avait dû construire des marches, quatre, exactement pour que les piétons accédassent à la chaussée. J'étais tout près d'un des gros camions (les autres étaient devant, derrière). Celui-là était découvert, avec des rangées de bancs, sur lesquels étaient assis, serrés, une quarantaine de jeunes soldats, en uniforme foncé. L'un d'entre eux tenait à la main un épais bouquet d'œillets rouges. Il s'en servait comme d'un éventail.

Quelques flics* arrivèrent pour régler la circulation, à coups de sifflets. Ils faisaient bien, cet embouteillage me retardait. Ils étaient d'une taille démesurée.* L'un d'eux, installé près d'un arbre, le dépassait quand il levait son bâton.

Chapeau bas, petit, modestement vêtu, un monsieur aux cheveux blancs, paraissant plus petit encore aux côtés de l'agent, lui demanda, très, trop poliment, avec humilité, un modeste renseignement. Sans s'interrompre dans ses signaux, le flic, d'un ton rogue,* donna une réponse brève au retraité (qui eût pu, cependant, être son père, étant donnée la différence d'âge, sinon celle de la taille, qui ne jouait pas en faveur du vieillard). Celui-ci, sourd, ou n'ayant peut-être pas compris, répéta sa question. Le flic l'envoya promener d'un mot rude, tourna la tête, continua son travail, siffla.

L'attitude de l'agent m'avait choqué. Il avait pourtant *le devoir* d'être poli avec le public: ce doit certainement être inscrit dans le règlement. « Lorsque je verrai son chef, l'architecte, je tâcherai de ne pas oublier de lui en parler! » pensai-je. Quant à nous, nous sommes trop polis, trop timides avec les policiers, nous leur avons donné de mauvaises habitudes, c'est notre faute.

Un second agent, aussi grand que le premier, arriva tout près de moi sur le trottoir; les camions, l'embouteillage, l'ennuyaient visiblement, en quoi, il faut l'admettre, il n'avait pas tort. Sans qu'il eût besoin de monter sur les marches reliant le trottoir à la chaussée, il s'approcha tout près du camion plein de soldats. Sa tête, bien que ses pieds fussent au niveau des miens, dépassait légèrement leurs têtes. Il réprimanda durement — les accusant d'embarrasser la circulation — les militaires, qui n'y étaient pour rien, et spécialement le jeune porteur du bouquet d'œillets rouges, qui y était encore pour moins.

« Vous n'avez pas autre chose à faire que de vous amuser avec ça? lui dit-il.

— Je ne fais pas de mal, monsieur l'agent, répondit le soldat très doucement, d'une voix timide; ce n'est pas cela qui empêche le camion de démarrer.

— Insolent, ça enraye* le moteur! » s'écria l'agent de police, en giflant le soldat. Celui-ci ne dit mot. Puis l'agent lui arracha les fleurs, les jeta: elles disparurent.

J'en fus, intérieurement, outré. Je considère qu'un pays est perdu dans lequel la police a le pas, et la main, sur l'armée.

« De quoi vous mêlez-vous? Est-ce que ça vous regarde? » dit-il en se tournant vers moi.

Pourtant, je n'avais pas exprimé mes pensées à haute voix. Elles devaient être faciles à deviner.

« D'abord, qu'est-ce que vous fichez* là? »

Je profitai de la question pour lui expliquer mon cas, éventuellement demander son conseil, son aide.

« J'ai toutes les preuves, dis-je, on peut mettre la main sur l'assassin. Je dois me rendre à la préfecture. C'est encore assez loin. Peut-on m'y accompagner? Je suis un ami du commissaire, de l'architecte.

— Ce n'est pas mon rayon.* Je suis dans la circulation.

— Tout de même...

— Ce n'est pas mon boulot,* vous m'entendez! Votre histoire ne m'intéresse pas. Puisque vous êtes lié avec le chef, allez donc le voir et fichez-moi la paix. Vous connaissez la direction, déguerpissez,* la voie est libre.

— Bon, monsieur l'agent, dis-je, aussi poli, malgré moi, que le soldat; bon, monsieur l'agent! »

Le flic s'adressa à son collègue, posté à côté de l'arbre et, durement ironique:

« Laisse passer monsieur! »

Ce dernier, dont je voyais la figure à travers les branches, me fit signe de filer.* Comme je passais près de lui:

« Je vous déteste! » me lança-t-il, avec rage, alors que c'est moi qui eusse été en droit de lui dire cela.

Je me trouvai seul au milieu de la route, les camions déjà loin derrière moi. J'allais vivement, droit vers la préfecture. Le jour baissait, la bise se faisait dure, j'étais inquiet. Édouard pourrait-il me rejoindre à temps? Et j'étais en colère contre la police: ces gens-là ne sont bons que pour vous embêter, pour vous apprendre les bonnes manières, mais quand vous avez vraiment besoin d'eux, quand c'est pour vous défendre,... à d'autres!... ils vous laissent tomber!

Il n'y avait plus de maisons, à ma gauche. Des deux côtés, les champs gris. Cette route, ou cette avenue, n'en finissait plus avec ses rails de tramway. Je marchais, marchais: « Pourvu qu'il ne soit pas trop tard, pourvu qu'il ne soit pas trop tard! »

Brusquement, il surgit devant moi. Aucun doute, c'était l'assassin: autour de nous, rien que la plaine assombrie. Le vent jeta contre le tronc d'un arbre nu une feuille d'un vieux journal, qui s'y colla. Derrière l'homme, au loin, à plusieurs centaines de mètres, se profilaient dans le soleil couchant, les bâtiments de la préfecture, près de l'arrêt du tramway que l'on voyait arriver; des gens en descendaient, tout menus à cette distance. Aucun secours n'était possible, ils étaient beaucoup trop loin, ils ne m'auraient pas entendu.

Je m'arrêtai pile, paralysé sur place. « Ces sales flics, pensai-je, ils ont fait exprès de me laisser seul avec lui; il veulent que l'on croie qu'il ne se sera agi que d'un règlement de comptes! »

Nous étions face à face, à deux pas l'un de l'autre. Je le regardai, en silence, attentif. Il me dévisageait,* lui aussi, à peine ricanant.*

C'était un homme entre deux âges, maigriot,* chétif,* très court de taille, mal rasé, ne semblant pas avoir ma force physique. Il portait une gabardine usée et sale, déchirée aux poches, des chaussures aux bouts troués, à travers lesquels ses orteils perçaient. Sur la tête, il avait un chapeau tout abîmé, informe; une main dans la poche; de l'autre, crispée, il tenait un couteau avec une grande lame, projetant une lueur livide. Il me fixait de son œil unique, glacial, de la même matière, du même éclat que le tranchant de son arme.

Jamais je n'avais vu un regard si cruel, d'une telle dureté — et pourquoi? — d'une telle férocité. Un œil implacable, de serpent peut-être, ou de tigre, meurtrier sans besoin. Aucune parole, amicale ou autoritaire, aucun raisonnement n'auraient pu le convaincre; toute promesse de bonheur, tout l'amour du monde, n'auraient pu l'atteindre; ni la beauté n'aurait pu le faire fléchir, ni l'ironie lui faire honte, ni tous les sages du monde lui faire comprendre la vanité du crime comme de la charité.

Les larmes des saints auraient glissé, sans le mouiller, sur cet œil sans paupières, ce regard d'acier; des bataillons de Christs se seraient succédé, en vain, pour lui, sur les calvaires.

Lentement, je sortis de mes poches mes deux pistolets, les braquai, en silence, deux secondes, sur lui, qui ne bougeait pas, puis les baissai, laissai tomber mes bras le long du corps. Je me sentis désarmé, désespéré: car que peuvent les balles, aussi bien que ma faible force, contre la haine froide, et l'obstination, contre l'énergie infinie de cette cruauté absolue, sans raison, sans merci?

© La Nouvelle Revue Française, 1ᵉʳ novembre 1955

(3ᵉ année No. 35), Gallimard

NOTES

page 120 qu'est-ce que vous fichez là? – *you there, what are you staring at?*

Ce n'est pas mon rayon – *That's not my department*

Ce n'est pas mon boulot – *That's not my job*

déguerpissez – *clear off; skedaddle*

filer – *to move along; to hop it*

page 121 Il me dévisageait – *He was staring me out*

ricanant – *sneering; chuckling unpleasantly*

maigriot – *thin; skinny*

chétif – *puny*

Félicien Marceau

Félicien Marceau is the pseudonym of Louis Carette, born on September 16th, 1913, at Cortenberg, Belgium. After studying law at the *Université de Louvain*, he proceeded to study librarianship at the Vatican Library, but finally started his career as a journalist. Later, he joined the staff of *Radiodiffusion Nationale Belge* until 1944, when he moved to France to devote himself to writing. His novels include *Chasseneuil* (1948) *Chair et cuir, Capri petite île* (1951), *L'Homme du roi* (1952), *Bergère légère* (1953) and *Les Elans du coeur*. He is, however, probably better known in France as a dramatist; his work for the stage has enjoyed considerable success since he presented *L'Ecole des Moroses* in 1951, and among the best of his plays are *L'Oeuf* (1956), *La Bonne Soupe* (1958), *L'Etouffe-Chrétien* (1960), *Les Cailloux* (1962), *Le Babour* (1969) and *L'Ouvre-boîte* (1972). He has also published *Balzac et son monde* and two volumes of short stories, *En de secrètes noces* and *Les Belles Natures* (1957) from which is taken *Le Timbre-poste*.

Le Timbre-poste

par FÉLICIEN MARCEAU

Étant, de toute évidence, un garçon d'avenir, sérieux, parfaitement capable de devenir un jour sous-directeur, le jeune Vittorio Scognamiglio, après deux ans passés derrière les guichets d'une banque à Aversa, sa ville natale, avait été envoyé en stage* au siège central de la banque, à Rome, afin d'y être initié aux secrets, manipulations, us* et coutumes de la haute finance.

Nous ne nous attarderons pas à décrire son bonheur. Bien que, comme on l'a déjà dit, Vittorio fût un employé sérieux, capable, apprécié par ses chefs, bien qu'à vingt-trois ans il eût donc déjà son poids dans la vie, il avait, jusque-là, vécu chez ses parents et, en quelque sorte, dans leur ombre. Ce n'était pas qu'il en souffrît. Outre qu'il aimait ses parents, Vittorio, on se tue à le dire,* était un garçon sérieux. Le cinéma tous les samedis, le café le dimanche après-midi, voilà qui lui suffisait. Pour le reste, il passait très bien ses soirées entre son père et sa mère, en été sur le pas de la porte, à deviser* avec les voisins ou à regarder les voitures qui allaient à Naples; en hiver, à lire ou à ranger sa collection de timbres-poste, régulièrement enrichie par les soins d'un de ses oncles, steward à bord d'un paquebot et qui en franchissait, des équateurs! Non, Vittorio n'en souffrait pas.

Mais enfin, on a beau dire,* la liberté, c'est autre chose. Au départ d'Aversa, Vittorio Scognamiglio n'était encore qu'un jeune homme accablé de recommandations, de chaussettes de laine et de gilets de corps.* A l'arrivée à Rome, sous l'immense verrière de la gare, il n'était plus un jeune homme. Quelque chose de l'âme aventureuse de son oncle venait de se réveiller en lui. Superbe, il prit un taxi, le premier de sa vie. Ce taxi, c'était l'adieu à sa jeunesse.

Le jour même, il s'occupa de trouver une chambre meublée. La première qu'il visita ne lui plut pas: la propriétaire, visiblement, était bavarde et indiscrète. La deuxième ne lui plut pas davantage: à trois heures de l'après-midi, la propriétaire était encore en peignoir et, garçon sérieux, Vittorio en conçut des doutes tant sur sa vertu que sur ses qualités ménagères. Il arrêta enfin la troisième: la propriétaire n'avait montré pour lui qu'indifférence. D'Aversa à Rome, Vittorio avait appris que l'indifférence d'autrui est cousine germaine de la liberté.

Ses affaires rangées, il sortit, impatient de voir les beautés de la capitale. Il ne les vit pas, s'étant trompé d'autobus et ayant échoué dans le quartier de la piazza Crati où il arpenta longuement de larges avenues, bien bâties si l'on veut mais sans éclat particulier. Il dîna de deux sandwiches dans un bar et rentra chez lui. Sa chambre était immergée dans la nuit, dans le silence. Un moment, Vittorio regretta les paisibles commentaires de sa mère, les fâcheries* de son père, lequel, homme juste, ne pouvait lire un journal sans piquer quelques colères.* Ce désarroi ne dura qu'un moment. Couché sur son lit-divan étroit, Vittorio se sentait encore soulevé par le vent furieux, par l'exaltante rumeur qui l'avient accueilli au sortir de la gare de Rome.

Ce qui fait que, huit jours plus tard, sur sa lancée,* Vittorio était amoureux. Libérez un homme, il devient amoureux, cette loi est constante. Jusque-là, cependant, avec les jeunes filles, Vittorio s'était toujours montré timide. On cesse d'être timide lorsqu'on sent bruisser* autour de soi les ailes de la liberté. A la banque, il avait plaisanté avec quelques demoiselles dactylographes. L'une d'elles, séduite par cette belle humeur, l'avait informé que, le samedi soir, elle retrouvait quelques amis dans un modeste dancing. Le samedi, Vittorio mit sa plus belle cravate et y courut. Il y fit la connaissance d'une jeune personne, propre cousine du fiancé de la demoiselle dactylographe. Cette jeune personne s'appelait Silvia. Elle était fort jolie, brune, les cheveux sombres, le nez droit, de grands yeux noirs, des cils, ah, des cils! longs, soyeux et qu'elle faisait battre pour chaque phrase. Ce qui veut dire qu'ils battaient souvent, cette Silvia parlant beaucoup, avec assurance et sur un petit ton net, décidé. A la première danse, Vittorio lui fit compliment de ses yeux. A la deuxième, de sa robe. A la troisième danse, ils s'aimaient. Cela tombait bien: la troisième danse était un tango. Les garçons sérieux, généralement, dansent bien le tango. Par une délicate attention, le propriétaire du dancing avait baissé les lumières. Dans l'ombre, la joue de Silvia effleura celle de Vittorio. Lequel murmura:

— Nous pourrions aller au cinéma, un de ces soirs.

— C'est une idée, dit Silvia de sa voix posée.

— Quand?

— Mercredi.

Le mercredi, ils allèrent donc au cinéma. Silvia portait un très joli manteau couleur sable, avec une grosse ceinture. Le film étant comique, elle rit. Cela lui allait bien, de rire. Cela détendait son visage un peu trop composé. Le samedi soir, ils retournèrent au dancing. Le dimanche après-midi, ils firent une longue promenade, montèrent jusqu'en haut du Janicule* et, de là, pensivement, la main dans la main, ils contemplèrent Rome à leurs pieds. Sous le soleil de novembre, les façades étaient roses, gris-argent ou jaune pâle. Au loin, dominant les toits, le grand rectangle ocre et les pins-parasols de la villa Médicis. A la droite de Vittorio, débarqués d'un autocar, des touristes anglais s'exclamaient. A la gauche de Silvia, c'étaient des Suédois qui s'exclamaient aussi, l'appareil photographique sur la poitrine, la tête penchée, comme pour un *mea culpa*.* Au milieu de ces voix étrangères, Vittorio et Silvia écoutaient battre leur cœur.

La semaine suivante fut pareille à la précédente. Sauf que, pour le cinéma, cette fois, ils n'attendirent que jusqu'au mardi. L'amour, comme on sait, est une passion impatiente. Sauf qu'ils se revirent aussi le jeudi. L'amour est une passion exigeante. Sauf enfin que, le samedi, au dancing, lorsque Vittorio proposa un rendez-vous pour le lendemain (il en parlait déjà comme d'une chose qui allait de soi, faisant porter sa question non plus sur le principe mais sur l'heure et le lieu), Silvia lui dit :

— A trois heures. Mais tu viendras me chercher à la maison. J'ai parlé de toi à mes parents. Ils veulent te connaître.

Elle avait eu, pour dire cela, son petit ton net, froid, heureusement corrigé par un joli battement de cils. Quoique né à Aversa, ville modeste, Vittorio n'était pas tombé de la dernière pluie.* Il comprit fort bien à quoi rimait cette invitation* et n'en éprouva aucun effroi. Pendant toute la semaine, il avait eu le loisir de s'interroger. Il aimait Silvia. Il aimait ses yeux, ses cils et même ce petit ton décidé qui, à d'autres, eût pu donner à penser. Ils se marieraient. Ils seraient parfaitement heureux. Vittorio en avait même déjà touché un mot dans une lettre à sa mère.

Les parents de Silvia habitaient via 21 Aprile, au sixième étage, dans un appartement assez petit mais tout neuf, étincelant, à grandes baies. Ils y faisaient une étrange figure. Tous les deux vêtus de noir, elle avec des manchettes de dentelles, lui avec un col à coins cassés,* elle parlant autant que sa fille, lui silencieux et solennel, ils avaient l'air de deux provinciaux égarés dans une exposition des arts décoratifs. Un quart d'heure de conversation suffit à expliquer ce désaccord : jusqu'en 1949, M. et Mme Nardone avaient vécu à Sillavongo, dans le Nord, dont ils étaient originaires. M. Nardone y était comptable. L'entreprise qui l'occupait ayant fait faillite, il avait trouvé un emploi à Rome. Mais ils en convenaient tous les deux, elle par d'abondants discours, lui par des hochement de tête douloureux, la vie de la capitale ne leur plaisait pas. Tout ce monde...

— Pensez, monsieur, dit Mme Nardone avec beaucoup d'âme. Il y a des locataires de l'immeuble que je ne connais même pas.

On la croyait volontiers. Avec ses huit étages et ses trente métres de façade, l'immeuble devait bien compter trois cents locataires.

L'après-midi étant pluvieux, Vittorio et Silvia restèrent là, à regarder des albums de photographies. De son fauteuil, Mme Nardone commentait les explications de sa fille, égrenait* des souvenirs. M. Nardone, lui, ne disait rien. Vittorio non plus. Entre ces deux femmes, d'ailleurs, il eût été difficile de placer un mot. Le mercredi suivant, Vittorio fut invité à dîner. Au dessert, on parla mariage. Vittorio précisa le chiffre de son traitement. Mme Nardone versa quelques larmes.

— Il nous reste à obtenir le consentement de vos parents, dit M. Nardone.

— Oh, ils seront d'accord, assura Vittorio.

— J'aimerais que votre père m'écrive, dit M. Nardone toujours grave. Ce serait plus correct.

— Bien entendu, dit Vittorio. Il va vous écrire, monsieur.

Le soir même, avant de se coucher, Vittorio écrivit à ses parents. Il sut trouver des accents émouvants pour décrire sa félicité et il terminait en recommandant à son père d'écrire tout de suite à M. Nardone. « Ce sont des gens du Nord. Ils tiennent à ces choses-là. » Par retour du courrier, il reçut une lettre de sa mère le bénissant et un mot de son père l'informant que, sur-le-champ, louant son dessein, il avait écrit à M. Nardone. Enchanté, Vittorio se rendit chez Silvia.

Ce fut pour y trouver des visages longs d'une aune.* M. Nardone avait plus que jamais sa tête de prédicateur* exténué par les veilles. Mme Nardone s'essuyait les yeux.

— Silvia n'est pas là ? demanda Vittorio.

— Silvia est dans sa chambre, dit M. Nardone. C'est plus convenable. J'ai à vous parler.

— Volontiers, dit Vittorio.

— Votre père m'a écrit, commença M. Nardone sur un ton posé.

— Je sais.

— Une lettre trés aimable, d'ailleurs, poursuivit Nardone en indiquant, par une inflexion de la voix, qu'il ne s'agissait là que d'une parenthèse.

— Je le pense bien, dit Vittorio. Il m'a écrit aussi. Il est très heureux.

M. Nardone se leva. Comme il était grand et voûté*, le mouvement lui donna de la majesté.

— Comment se fait-il alors, jeune homme, que cette lettre me soit parvenue sans timbre ?

I

En effet, sur l'enveloppe qu'il tendait, ne figurait que le timbre indiquant que, faute d'affranchissement, la lettre avait été frappée d'une taxe.

— Tiens! dit Vittorio sans se frapper.* Une chance qu'elle soit quand même arrivée.

Devant la mine sévère de M. Nardone, une idée brusquement le frappa.

— Bien entendu, je vais vous rembourser...

Il portait la main à sa poche. La paume levée, une longue paume, comme une trique,* M. Nardone l'arrêta.

— Mon traitement est modeste, dit-il. Il me permet cependant de payer la taxe d'une lettre.

— Évidemment, dit Vittorio embarrassé. Je ne pensais pas que... Mais les petits frais imprévus, c'est agaçant.

— Il ne s'agit pas de cela, reprit M. Nardone. La chose est plus grave. Je connais les gens du Sud. Lorsqu'ils ne sont pas d'accord sur quelque chose et qu'ils ne veulent pas le dire, ils écrivent qu'ils sont d'accord mais ils ne mettent pas de timbre.

— Pas de timbre?

— Pas de timbre, souligna M. Nardone sépulcral. A leur avis, une lettre sans timbre, cela n'engage pas.

Vittorio eut une seconde d'égarement. Mme Nardone en profita pour émettre un bref sanglot et quelques commentaires d'ordre général sur le malheur d'être mère et sur le risque que court toujours une fille à épouser un garçon issu de contrées lointaines.

— Mais c'est absurde! clama Vittorio enfin revenu de sa stupeur. Je suis du Sud, moi aussi. Je n'ai jamais entendu parler de cette habitude.

— Cela vous honore, jeune homme, car cette habitude n'est pas honnête. Quand on n'est pas d'accord, il vaut mieux le dire, franchement. C'est ainsi que nous faisons, dans le Nord.

— Et c'est ce qu'aurait fait mon père, rétorqua Vittorio. Je le connais. Quand il pense quelque chose, il le dit.

M. Nardone reprit l'enveloppe, la leva devant lui.

— Alors, pourquoi n'a-t-il pas mis de timbre?

— Il l'aura oublié, tiens!

— Oublié!

M. Nardone eut un ricanement* chevalin.

— Oublié! Pour une lettre de cette importance...

— Ou le timbre s'est décollé...

Là, il était visible que Vittorio avait touché un point sensible.

— Jeune homme, dit M. Nardone, j'ai cinquante-trois ans, dont vingt-neuf passés dans l'administration. Il y a deux choses auxquelles je ne crois plus: les lettres qui se perdent et les timbres-poste qui se décollent. Du reste...

Il se leva, alla jusqu'à son bureau, y prit trois enveloppes.

— Tenez! Non, non, prenez au hasard, je ne veux pas vous influencer. Prenez une de ces enveloppes et essayez de décoller le timbre.

Vittorio s'y employa. En vain. Les timbres tenaient.

— Vous voyez, dit M. Nardone avec une ironie glacée.

— Cela ne prouve rien, dit Vittorio qui s'énervait. Ceux-ci tiennent précisément parce qu'ils ont été bien collés. Et puis supposons que mon pére ait oublié de mettre le timbre. Cela ne change rien à sa lettre.

— Cela change tout. Votre père ne se considère pas comme engagé. Si, si, ils sont comme cela, les gens du Sud.

— Enfin, s'il vous écrit une nouvelle lettre? Avec un timbre, bien entendu...

— L'affront subsiste, dit M. Nardone funèbre.

Mais Mme Nardone intervint. Certes, comme son mari, elle estimait hautement improbable que le timbre eût pu se décoller et, dans l'ensemble, elle ne le dissimulait pas, l'incident lui paraissait de fâcheux augure. Mais elle était mère et, en cette qualité, elle pouvait comprendre et même excuser que, devant une décision si grave, M. Scognamiglio eût hésité ou qu'en ne mettant pas le timbre, il eût cherché à se ménager une porte de sortie...

— Je vous assure..., disait Vittorio. Mon père est incapable...

Cependant, poursuivait Mme Nardone, il ne fallait pas non plus (pour reprendre ses termes) chercher le cheveu dans l'œuf et, à son humble avis, si M. Scognamiglio écrivait une nouvelle lettre, l'offense pourrait être tenue pour effacée. M. Nardone finit par se rallier à ce point de vue, non sans quelques hochements de menton. Sur quoi, Silvia fut autorisée à sortir de sa chambre et à aller se promener avec Vittorio. L'affaire du timbre-poste fut naturellement évoquée. Silvia, hélas, sur ce point,

entrait assez dans les vues de son père et elle y ajouta même une hypothèse plus désobligeante encore.

— Un timbre, cela ne coûte que vingt-cinq lires pourtant. Ce n'est
pas si cher...

Vittorio se fâcha. Ils se quittèrent sur des propos peu amènes.*
Rentré chez lui, Vittorio cependant écrivit tout de suite à son père.

M. Scognamiglio, malheureusement, était de ces hommes qui, pas
plus méchants que d'autres, semblent n'être jamais si heureux que
lorsque la vie leur donne un prétexte pour s'indigner, pour monter sur
leurs grands chevaux et pour se draper dans leur fierté. Sa réponse fut
acerbe.* De quoi? Comment? Pour qui ces gens due Nord se prenaient-
ils? De quel droit se permettaient-ils de soupçonner les gens du Sud?
Était-il homme, lui, à oublier de mettre un timbre? Non, il avait mis le
timbre, il en était sûr et si le timbre s'était décollé, il n'y pouvait rien.
Avait-il écrit, oui ou non? Oui! Eh bien, il n'avait qu'une parole, une
seule, ce qui veut dire qu'il ne la donnait pas deux fois. Non, il n'écri-
rait pas une nouvelle lettre. Sa dignité le lui interdisait.

Vittorio, jusque-là, avait pris l'affaire assez à la légère. Il commença
à s'inquiéter, écrivit une nouvelle lettre à son père, plus émouvante et le
conjurant, pour une fois, de faire bon marché de sa dignité.* A la fin
de la semaine, il n'avait toujours pas de réponse. M. Nardone n'était
pas content.

— Et cette lettre?

— Elle arrive, elle arrive, répondait Vittorio. Mon père a tant à faire.

M. Nardone hochait sa longue tête, l'air d'en savoir long* sur l'activité
des gens du Sud. Et Silvia se faisait venimeuse.

— Évidemment, un nouveau timbre de vingt-cinq lires, c'est une
dépense.

Ou:

— Il n'est pas très empressé, ton père...

Vittorio commençait à ne plus goûter ce petit ton net. En attendant
la réponse de son père, il eut l'idée d'écrire au courrier des lecteurs d'un
grand hebdomadaire, exposant son cas et demandant si, oui ou non,
c'était une coutume des gens du Sud que d'exprimer des réserves sur
le contenu d'une lettre en s'abstenant de mettre le timbre. Il guetta avec
fièvre le numéro suivant du journal. Malheur! il faut croire que
l'hebdomadaire ne tenait pas à prendre position sur un point si épineux:

il n'y avait pas de réponse. Et toujours pas de lettre de M. Scognamiglio. Et Silvia de plus en plus venimeuse. Un samedi, Vittorio prit le train pour Aversa. Il trouva son père encore irrité.

— Veux-tu que je te dise? Ces gens du Nord, je les connais. Celui-là ne veut pas te donner sa fille. Il cherche un prétexte.

Il était petit, M. Scognamiglio, et trapu,* assez gras même. Tout le contraire de M. Nardone. Et de grands yeux charbonneux.

— Mais, papa, s'il n'avait pas voulu me donner sa fille, il me l'aurait dit.

— Tu crois ça! Ce sont tous des sournois,* des dissimulés. D'ailleurs, je me demande si ce n'est pas un signe du destin...

En bon Méridional, M. Scognamiglio était superstitieux.

— Tu seras malheureux avec des gens comme ça.

— Ce n'est pas le père que j'épouse, c'est la fille. Et il ne te demande qu'une lettre...

— Il l'a eue, sa lettre!

— Mais sans timbre.

M. Scognamiglio se fâchait tout de bon.

— C'est insulter un homme que de lui demander sa parole sur papier timbré.

— Il ne s'agit pas de papier timbré, papa. Il s'agit du timbre sur l'enveloppe. M. Nardone prétend que c'est une coutume du Sud.

— Tu me l'as déjà écrit. C'est idiot! Une coutume du Sud!

Un moment, M. Scognamiglio baissa ses paupières bistrées* sur son regard d'anthracite.

— Viens, dit-il. Nous allons vérifier ça. Si c'est vraiment une coutume, je te promets d'écrire.

A cette époque, je parle d'il y a trois ou quatre ans, vivait encore — et à Aversa précisément — Giuseppe Cruscolo, auteur modestement célèbre d'une douzaine de recueils de nouvelles où se trouvaient décrits les usages de la région. Le problème énoncé, Giuseppe Cruscolo se recueillit. Les yeux clos, tassé dans son fauteuil, le menton lourd, le crâne chauve, il avait l'air d'un proconsul tout entier livré à sa méridienne.*

— Non, dit-il enfin. Je crois avoir quelques lumières sur le folklore du Sud. Je n'ai pas connaissance d'une coutume de ce genre.

— Ah! fit Vittorio soulagé.

Puis, sa main esquissant dans l'espace le geste d'écrire :

— Pourrais-je vous demander une déclaration par écrit ?

— Par écrit ?

Giuseppe Cruscolo en avait perdu son masque de proconsul au repos. Il avait pris l'expression plus modeste du lapin brusquement confronté avec un fusil.

— Une déclaration par écrit ? reprit-il. Ah non ! J'ignore l'usage que vous voulez en faire.

— Je ne veux que la montrer à mon futur beau-père.

— Et votre futur beau-père, il en fera quoi ? Non, non. Je vous ai dit que je ne connaissais pas cette coutume. Mais elle existe peut-être, dans quelque village perdu. Un journaliste peut s'en emparer. pour me ridiculiser. C'est délicat, les questions de folklore...

Bref, il ne voulut rien signer du tout. M. Scognamiglio lui-même en était indigné.

— Ah, ces écrivains ! proféra-t-il en rentrant chez lui.

Vittorio voulut profiter de cette diversion.

— Écoute, papa. Si M. Nardone n'avait pas reçu ta lettre, tu lui en écrirais bien une autre, je pense...

— Mais il l'a reçue !

— Qu'en sais-tu ? Il ne t'a pas répondu.

— C'est vrai, ça. Il ne m'a même pas répondu. Tu vois bien que c'est un malotru.*

— Mais non ! Écoute-moi bien. S'il ne t'a pas répondu, tu peux très bien faire semblant de croire que ta lettre ne lui est pas arrivée, qu'elle s'est perdue. Dans ces conditions, tu lui en écris une autre. Même pas. Tu te contentes de lui envoyer un double de ta première lettre. Cela n'est pas du tout contraire à ta dignité. C'est très naturel, au contraire. Quelque chose dans ce genre : « N'ayant pas encore à ce jour reçu de réponse à mon honorée du 12 courant et me disant que ma lettre s'est peut-être perdue, je vous en envoie ci-joint le double... » Qu'en penses-tu ? D'une certaine manière, tu lui fais même la leçon, à M. Nardone.

Encore ronchonnant* mais, au fond, touché par l'émoi* de son fils, regrettant son emportement, ravi de trouver un biais honorable et enfin très séduit par l'harmonie de la phrase, M. Scognamiglio écrivit la lettre. L'encre n'en était pas encore sèche que Vittorio se précipitait dessus.

— Je prends le train et, ce soir, je la lui porte.

— Hé, dit son père avec beaucoup de bon sens. Si tu la lui portes, il n'y aura toujours pas de timbre.

— C'est vrai, dit Vittorio. Je vais la mettre à la poste.

Dans son enthousiasme, il colla deux timbres, posta la lettre, prit le train, courut chez les Nardone. Ce fut Silvia qui vint lui ouvrir.

— Oh! dit-elle.

Malgré sa brièveté, cette exclamation recelait des sentiments variés : la bienveillance n'y figurait pas.

— La lettre a été envoyée, dit Vittorio.

— La lettre! dit-elle.

M. Nardone apparaissait, un journal à la main. Sa longue figure était bouleversée.

— Ah, je suis un âne! proféra-t-il d'une voix caverneuse. Un âne! Vous me faites insulter par la voie de la presse maintenant!

— Moi? dit Vittorio, une main sur le cœur.

Avec le geste de Cavour sur son socle,* M. Nardone tendit le journal Au Courrier des lecteurs était reproduite la-lettre de Vittorio, suivie de la réponse du préposé : « Dites à votre futur beau-père qu'il est un âne. Je suis moi-même de Sorrente et je n'ai jamais entendu parler de cette curieuse coutume. Les gens du Sud ont plus d'honneur. »

— Mais, monsieur, dit Vittorio atterré, lisez ma lettre. Elle est parfaitement respectueuse.

— Et la réponse? Qui a provoqué la réponse? Je suis un âne! Dans le journal! Moi!

— Personne ne saura que c'est vous.

— Moi, je le sais, dit Nardone, plus statue que jamais. Sortez, jeune homme!

Silvia s'était approchée de la fenêtre. Elle regardait vers la rue.

— Silvia..., dit Vittorio.

Elle ne se retourna pas.

Le mariage ne s'est pas fait. Un an plus tard, revenu à Aversa, Vittorio a épousé une jeune fille de l'endroit, charmante, potelée* et parlant peu. Après la cérémonie, au moment des accolades, M. Scognamiglio, jovial, a glissé à son fils :

— Et ici, pas de timbre, hein?

Vittorio a souri. Un instant, il a encore entendu la voix nette, décidée, de Silvia. Non, décidément, il n'aurait pas été heureux avec elle. Le destin, assez souvent, fait bien ce qu'il fait.

from *Les Belles Natures*, © Gallimard 1957

NOTES

page 125 en stage – *for a period of training*

us et coutumes – *ways and procedures; ins and outs*

page 126 on se tue à le dire – *one becomes tired of saying it*

deviser – *to chat; to gossip*

on a beau dire – *as one gets tired of saying*

gilets de corps – *singlets*

les fâcheries – *the tiffs; the petty quarrels*

sans piquer quelques colères – *without being roused to anger*

page 127 sur sa lancée – *as soon as he had found his way around*

bruisser – *to rustle*

le Janicule – *one of the seven hills of Rome*

page 128 comme pour un *mea culpa* – *as if confessing their sins. The words 'mea culpa' are taken from the 'Confiteor', the prayer of general confession with which the mass commences; the words 'mea culpa, mea culpa, mea maxima culpa' are usually said head bowed and accompanied by striking the breast with the right hand.*

Vittorio n'était pas tombé de la dernière pluie — *Vittorio wasn't born yesterday*

Il comprit fort bien à quoi rimait cette invitation – *He well knew where this invitation was leading*

un col à coins cassés – *a winged collar; a butterfly collar*

page 129 égrenait des souvenirs – *was sharing her memories. Literally, 'égrener' = to shed*

des visages longs d'une aune – *faces as long as fiddles*

sa tête de prédicateur – *his hell-fire preacher's face*

voûté – *bent; stooping*

page 130 se frapper – *to become alarmed*

une trique – *a cudgel*

page 131   un ricanement chevalin – *a whinny-like snigger*

page 132   amènes – *affable*

acerbe – *sour; sharp*

faire bon marché de sa dignité – *not to stand on his dignity*

l'air d'en savoir long – *looking as if he knew all there was to know*

trapu – *thick-set; stocky*

page 133   des sournois – *crafty fellows; cunning devils*

M. Scognamiglio baissa ses paupières bistrées sur son regard d'anthracite – *Signor Scognamiglio let his dark lids fall over his black glowing eyes*

sa méridienne – *his siesta*

page 134   un malotru – *an uncouth fellow*

ronchonnant – *grumbling; grousing*

l'émoi – *the agitation*

page 135   Avec le geste de Cavour sur son socle – *With the stance of Cavour's statue on its pedestal. Count Camillo Benso di Cavour (1810–61) became prime minister of Piedmont (1852–59, 1860–1861), and was instrumental in bringing about the unification of Italy*

potelée – *plump; dimpled*

François Mauriac

François Mauriac, born in Bordeaux on November 11th, 1885, was educated at the *Collège Grand-Lebrun de Caudéran* and the *Université de Bordeaux*. He then went to Paris, made his literary début with two collections of poems, *Les Mains jointes* (1909) and *Adieu à l'adolescence* (1911), but soon turned to the novel with *L'Enfant chargé de chaînes* (1913) and *La Robe prétexte* (1914). Service during the war of 1914–18 put a stop to his writing, and when Mauriac took up his pen again it was to undertake a series of novels which made his reputation. These were rooted in life in the provinces, and powerfully portrayed the intense struggles of the individual with a dominant family background, or the conflict of faith and the flesh. *La Chair et le sang* (1920), *Préséances* (1921), *Le Baiser au lépreux* (1922), *Le Fleuve de feu* (1923), *Génitrix* (1924), *Le Désert de l'amour* (1925), *Thérèse Desquëyroux* (1927), *Destins* (1928), *Le Nœud de vipères* (1932) and *Le Mystère Frontenac* (1933) brought him recognition, and he was elected to the *Académie Française* in 1933. He now published his *Journal* (1934–40), and wrote more novels, *La Fin de la nuit* (1935), *Les Anges noirs* (1936), *Les Chemins de la mer* (1938), *La Pharisienne* (1940), all of which have won international acclaim. He had also written *Vie de Jésus* in 1936 and a play, *Asmodée*, which was produced in 1938.

The Second World War seemed to stop his literary activities, with the exception of *Le Cahier noir* which he published in 1943 under the pseudonym of Forez. After the war he took a greater interest in politics, writing frequent articles which appeared in various newspapers; he also became more interested in criticism and in his autobiography, publishing *Rencontre avec Barrès* (1945), *Du côté de chez Proust* (1947), more volumes of his *Journal* (1950–53), *Ecrits intimes* (1953), *Bloc-Notes* (1958, 1961, 1970), *Mémoires intérieures* (1959) and *D'autres et moi* (1966). He did, however, continue to write novels, *La Sagouin* (1951), *Galigaï* (1952), *L'Agneau* (1954) and *Le Fils de l'Homme* (1958), and showed renewed interest in the theatre with *Les Mal Aimés* (1945), *Passage du Malin* (1950) and *Le Feu sur la terre* (1950), in all of which he used the same background and atmosphere as he used in his novels. He was awarded the Nobel Prize for literature in 1952, a fitting recognition of a writer who, long before his death in 1970, had established himself as perhaps the greatest French novelist of the mid-twentieth century.

Conte de Noël

par FRANÇOIS MAURIAC

I

Un maigre platane qui cherchait l'air dominait les hauts murs de la cour où nous venions d'être lâchés. Mais ce jour-là, au coup de sifflet de M. Garouste, nous ne poussâmes pas les piaillements* habituels de nos récréations. C'était la veille de la Nativité, on nous avait condamnés à une promenade dans la brume et dans la boue de la banlieue, et nous nous sentions aussi fatigués que peuvent l'être des garçons de sept ans qui ont une quinzaine de kilomètres dans les jambes.

Les pensionnaires mettaient leurs pantoufles. Le troupeau des demi-pensionnaires tournés vers la sortie attendaient de voir apparaître celui ou celle qui viendrait les chercher, pour les délivrer du bagne* quotidien. Je mordais sans grand appétit dans un quignon,* absent déjà par le cœur, occupé du mystère de cette soirée où j'allais pénétrer et dont les rites étaient immuables. On nous ferait attendre derrière la porte de la chambre à donner* le temps d'allumer les bougies de la crèche... Maman nous crierait: « Vous pouvez entrer! » Nous nous précipiterions dans cette pièce qui ne prenait vie que cette nuit-là. Les minuscules flammes nous attireraient vers ce petit monde de bergers et de bêtes pressés autour d'un enfant. La veilleuse allumée à l'intérieur du château crénelé d'Hérode, au sommet d'une montagne faite avec du papier d'emballage* froissé,* nous donnerait l'illusion d'une fête mystérieuse et défendue. Nous chanterions à genoux le cantique adorable:

> Une étable est son logement,
> Un peu de paille est sa couchette,
> Une étable est son logement,
> Pour un Dieu, quel abaissement!

L'abaissement de Dieu nous pénétrerait le cœur... Derrière la crèche, il y aurait un paquet pour chacun de nous et une lettre où Dieu lui-même aurait écrit notre péché dominant.

Déjà j'imaginais, à l'entour,* les ténèbres de la chambre inhabitée : aucun voleur ne se retenait plus de respirer derrière les rideaux à grands ramages* de l'alcôve et des fenêtres. Aux murs, les portraits des personnes mortes, du fond de leur éternité, écoutaient nos frêles voix. Et puis commencerait la nuit où, avant de s'endormir, l'enfant jette un dernier coup d'œil sur ses souliers à bout ferré,* les plus grands qu'il possède, — ceux qui assistent, dans les cendres de la cheminée, au mystère, qu'à chaque Noël j'essayais vainement de surprendre ; mais le sommeil est un gouffre qu'un enfant n'évite pas.

Ainsi je vivais d'avance cette soirée bénie, la tête tournée vers la porte où allait apparaître bientôt ma bonne. Le jour baissait. Bien qu'il ne fût pas quatre heures, j'attendais, espérant qu'elle serait en avance. Tout à coup une clameur s'éleva dans un angle de la cour. Tous les enfants se précipitèrent en criant : « Oh ! la fille ! Oh ! la fille ! » Les longues boucles du petit Jean de Blaye le vouaient* à cette persécution. Ses boucles étaient odieuses à nos crânes tondus. Moi seul je les admirais, mais en secret, beaucoup parce qu'elles me rappelaient celles du petit Lord Fauntleroy* dont j'adorais l'histoire telle qu'elle avait paru dans le *Saint Nicolas** de l'année 1887. Si l'envie me prenait de m'attendrir et de pleurer, il me suffisait de regarder l'image qui représentait le petit Lord dans les bras de sa mère, et de lire au-dessous la légende : « Oui, elle avait toujours été sa meilleure, sa plus tendre amie... » Mais les autres enfants ne possédaient pas le *Saint Nicolas* de 1887 ; ils ignoraient que Jean de Blaye ressemblait au petit Lord et ils le persécutaient ; et moi, lâche parce que je me sentais si faible, je demeurais un peu à distance.

Pourtant, ce jour-là, je fus étonné de ce que la meute ne criait pas seulement : « la fille ! la fille ! » mais encore d'autres mots que je ne compris pas d'abord. Je m'approchai en longeant le mur, craignant d'attirer sur moi l'attention du chef, le persécuteur, l'ennemi juré de Jean de Blaye. Il s'appelait Campagne, il était en retard de deux ans et nous dépassait tous de la tête, un vrai géant à nos yeux, doué d'une force presque divine. Les enfants entouraient donc Jean de Blaye et criaient :

— Il le croit! Il le croit! Il le croit!

— Que croit-il donc? demandai-je à un camarade.

— Il croit que c'est le petit Jésus qui descend par la cheminée...

Sans comprendre, j'interrogeai: « Eh bien? » Mais l'autre avait recommencé de hurler avec les loups. Je m'approchai encore: Campagne serrait les poignets du petit de Blaye, après l'avoir poussé contre le mur.

— Le crois-tu, oui ou non?

— Tu me fais mal!

— Avoue et je te lâcherai...

Alors le petit de Blaye prononça d'une voix haute et ferme, comme un martyr qui confesse sa foi:

— Maman me l'a dit, maman ne peut pas mentir.

— Vous entendez! cria Campagne. La maman de Mademoiselle ne peut pas mentir!

Au milieu de nos rires serviles, Jean de Blaye répétait: « Maman ne ment pas, maman ne m'a pas trompé... » A ce moment il m'aperçut et m'interpella:

— Mais toi, Frontenac, tu sais bien que c'est vrai. Nous en avons parlé tout à l'heure en promenade!

Campagne se tourna vers moi, et sous son œil cruel de chat, je balbutiai: « C'était pour me payer sa tête...* » Sept ans: l'âge de la faiblesse, de la lâcheté. M. Garouste s'approcha, à ce moment; déjà la bande se dispersait. Nous allâmes décrocher nos pardessus et nos gibernes.*

Dans la rue, Jean de Blaye me rattrapa. Le valet de chambre qui l'accompagnait faisait route volontiers avec ma bonne.

— Tu sais bien que c'est vrai... mais tu as eu peur de Campagne, dis? C'est parce que tu as eu peur?

J'éprouvais un grand trouble.* Je protestai que je n'avais pas eu peur de Campagne... Non, je ne savais pas si c'était vrai ou faux... Au fond, ça n'avait pas beaucoup d'importance, pourvu que nous recevions le jouet que nous avions demandé... Mais comment le petit Jésus savait-il que Jean avait envie de soldats de plomb, d'une boîte à outils,et moi d'une écurie et d'une ferme?... Pourquoi les jouets venaient-ils du *Magasin Universel*?

— Qui te l'a dit?

— L'année dernière, j'ai vu les étiquettes...

Jean de Blaye répéta: « En tout cas puisque maman me l'a dit... » et je le sentais troublé.

— Écoute, dis-je, si nous voulions absolument ne pas dormir, il n'y aurait qu'à rallumer la bougie, prendre un livre, ou bien s'installer dans le fauteuil près de la cheminée, pour être sûr d'être réveillé lorsqu'il viendrait...

— Maman dit que si on ne dort pas, on l'empêche de venir...

Les magasins luisaient sur les trottoirs trempés de brume. Des baraques* encombraient le Cours des Fossés. Des lampes à acétylène éclairaient des bonbons roses qui nous faisaient envie parce qu'ils étaient de trop mauvaise qualité pour que nous en achetions.

— Nous pourrions faire semblant de dormir...

— Il saura bien que nous faisons semblant, puisqu'il sait tout...

— Oui, mais si c'est maman, elle s'y laissera prendre.*

Jean de Blaye répéta: « Ce n'est pas maman! » Nous avions atteint le coin de la rue où nous devions nous séparer jusqu'à la fin des vacances du jour de l'An, car Jean partait le lendemain pour la campagne. Je le suppliai d'essayer de ne pas dormir; pour moi j'étais résolu à demeurer les yeux ouverts. Nous nous raconterions ce que nous aurions vu... Il me promit qu'il essayerait. Je le suivis des yeux. Pendant quelques secondes, je vis les longues boucles de fille sauter sur ses épaules; et puis sa petite ombre s'effaça dans le brouillard du soir.

II

Notre maison était proche de la cathédrale. Le soir de Noël, la grosse cloche de la Tour Pey-Berland, le bourdon,* emplissait la nuit d'un grondement énorme. Mon lit devenait pour moi la couchette d'un bateau et la tempête de sons me portait, me berçait dans son orage. La veilleuse vacillante peuplait la chambre de fantômes qui m'étaient familiers. Les rideaux de la fenêtre, la table, mes vêtements en désordre sur un fauteuil n'entouraient plus mon lit d'un cercle menaçant: j'avais apprivoisé ces fauves. Ils protégeaient mon sommeil, comme le peuple de la jungle veillait sur celui de l'enfant Mowgli.*

Je ne risquais pas de m'endormir: le bourdon m'aidait à me tenir en éveil. Mes doigts s'accrochaient aux barreaux du lit tant j'avais la sensation d'être livré corps et âme à une bonne tempête qui ne me voulait pas de mal. Maman poussa la porte. Mes paupières étaient closes, mais au bruit soyeux de sa robe, je la reconnus. Si c'était elle qui déposait les jouets autour de mes souliers, ce devrait être le moment, me disais-je, avant qu'elle partît pour la messe de minuit. Je m'appliquai à respirer comme un enfant endormi. Maman se pencha et je sentis son souffle. Ce fut plus fort que toutes mes résolutions : je jetai brusquement mes bras autour de son cou et me serrai contre elle avec une espèce de fureur. « Oh! le fou! le fou! » répétait-elle à travers ses baisers.

— Comment veux-tu qu'il vienne si tu ne dors pas? Dors, Yves, mon chéri, dors, mon garçon aimé; dors, mon petit enfant...

— Maman, je voudrais le voir!

— Il veut qu'on l'aime sans l'avoir vu... Tu sais bien qu'à la messe, au moment où il descend sur l'autel, tout le monde baisse la tête...

— Maman, tu ne te fâcheras pas, eh bien, une fois, je n'ai pas baissé la tête, j'ai regardé, je l'ai vu...

— Comment? Tu l'as vu?

— Oui! enfin...* un petit bout d'aile blanche...

— Ce n'est pas une nuit à garder les yeux ouverts. C'est en dormant que tu le verras le mieux. Quand nous reviendrons de l'église, ne t'avise* pas d'être encore éveillé...

Elle referma la porte, son pas s'éloigna. J'allumai la bougie et me tournai vers la cheminée où mourait un dernier tison.* Les souliers étaient là entre les chenets,* au bord de ce carré ténébreux, de cette trappe ouverte sur de la suie et de la cendre. C'était par là que la grande voix du bourdon s'engouffrait, emplissait ma chambre d'un chant terrible qui, avant de m'atteindre, avait erré au-dessus des toits, dans ces espaces lactés* où se confondent, la nuit de Noël, des milliers d'anges et d'étoiles. Ce qui m'aurait surpris, ce n'eût pas été l'apparition d'un enfant dans le fond obscur de l'âtre, mais au contraire qu'il ne se passât rien. Et, d'ailleurs, il se passait quelque chose : mes deux souliers encore vides, ces pauvres gros souliers mêlés à ma vie quotidienne, prenaient tout à coup un aspect étrange, irréel; comme s'ils eussent été posés là presque en dehors du temps, comme si les souliers d'un petit garçon pouvaient tout à coup être touchés par une lumière venue du monde qu'on ne voit pas. Si proche était le mystère que je soufflai la bougie pour ne pas effaroucher* le peuple invisible de cette nuit entre les nuits.

Si le temps me parut court, ce fut sans doute que j'étais suspendu hors du temps. Quelqu'un poussa la porte et je fermai les yeux. Au bruit soyeux de la robe, au froissement des papiers, je me dis bien que ce devait être maman. C'était elle et ce n'était pas elle; il me semblait plutôt que quelqu'un avait pris la forme de ma mère. Durant cette inimaginable messe de minuit à laquelle je n'avais pas assisté, je savais que maman et mes frères avaient dû recevoir la petite hostie et qu'ils étaient revenus, comme je les avais vus faire si souvent, les mains jointes et les yeux tellement fermés que je me demandais toujours comment ils pouvaient retrouver leurs chaises. Bien sûr, c'était maman qui, après s'être attardée autour de la cheminée, s'approchait de mon lit. Mais Lui vivait en elle; je ne les séparais pas l'un de l'autre: ce souffle dans mes cheveux venait d'une poitrine où Dieu reposait encore. Ce fut à ce moment précis que je sombrai* à la fois dans les bras de ma mère et dans le sommeil.

III

Le matin de la rentrée, je chaussai les souliers qui avaient participé au miracle et qui n'étaient plus maintenant que de pauvres petits souliers ferrés comme les sabots d'un ânon* et qui pataugeaient* dans les flaques de la cour, autour du maigre platane, en attendant que huit heures aient sonné. Dans la cohue des enfants qui criaient et qui se poursuivaient, je cherchais en vain les boucles de fille de Jean de Blaye. Il me tardait de* pouvoir lui dire le secret que j'avais surpris... Quel secret? J'essayais d'imaginer les mots dont il faudrait me servir pour qu'il me comprît.

Les boucles de Jean de Blaye demeuraient invisibles. Peut-être était-il malade? Peut-être ne saurais-je pas de longtemps ce que lui-même avait vu durant sa nuit de veille? En entrant dans l'étude, mes yeux se fixèrent sur la place qu'il occupait d'habitude. Un enfant étranger y était assis, un enfant sans boucles. Je ne compris pas d'abord que c'était lui. Je ne l'aurais pas reconnu sans son œil bleu qu'il leva vers moi; ce qui m'étonnait surtout, c'était son air dégagé,* délivré. Il était tondu de moins près que ses camarades. Le coiffeur lui avait laissé les cheveux assez longs pour qu'il pût se faire une raie sur le côté gauche.

A dix heures, dès que nous fûmes lâchés dans la cour, je partis à sa recherche et le trouvai dressé comme un petit David devant le grand

K

Campagne, comme si c'eût été sa faiblesse et non sa force qu'il eût perdue avec sa chevelure. Campagne déconcerté laissa le champ libre à l'enfant qui s'assit sur une marche du perron pour chausser des patins à roulettes. Je regardais de loin, n'osant m'approcher, songeant avec une vague détresse que je ne verrais plus jamais luire au soleil ni danser sur les épaules de Jean de Blaye les boucles du petit Lord Fauntleroy! Je me décidai enfin:

— Eh bien? Tu as tenu parole? Tu es resté éveillé?

Il bougonna,* sans relever la tête: « Tu t'es imaginé vraiment que je croyais... que j'étais assez bête? » Et comme je reprenais: « Mais rappelle-toi... il n'y a pas quinze jours... » il se pencha un peu plus sur ses patins, m'assura qu'il avait fait semblant, qu'il se payait notre tête:*

— A huit ans, tout de même! On n'est plus des gosses.*

Comme il parlait toujours sans me regarder, je ne pus plus retenir la question brûlante:

— Mais alors? Ta maman t'avait trompé?

Il avait mis un genou à terre pour serrer les courroies* des patins. Le sang envahit ses oreilles décollées,* en ailes de Zéphyr.* J'insistais lourdement:

— Dis, de Blaye, ta maman... Alors? Elle avait blagué?*

Il se redressa d'un coup et me dévisagea. Je revois encore ce petit visage maussade* et rouge, ces lèvres serrées. Il passa la main sur sa tête comme s'il y cherchait les boucles disparues, et souleva une épaule:

— Elle ne me blaguera plus.

Je répondis presque malgré moi que nos mères ne nous avaient pas menti, que tout était vrai, que j'avais vu... Il m'interrompit:

— Tu as vu? C'est vrai? Eh bien, moi aussi, j'ai vu!

Là-dessus, il fila sur ses patins et jusqu'à la fin de la récréation, ne cessa de rouler autour du platane. Je compris qu'il me fuyait. Depuis ce jour-là, nous ne fûmes plus amis. L'année suivante, ses parents quittèrent Bordeaux, et je ne sus pas ce qu'il était devenu.

IV

Il m'est arrivé une seule fois, dans ma jeunesse, de ne pas vivre la sainte Nuit en province parmi les miens. Une seule fois, ce devait être très peu d'années avant la guerre. Je me laissai entraîner dans les cabarets. J'ai oublié leurs noms, mais je me souviens de mon affreuse tristesse. Dans cette atmosphère de « boîtes »,* le bourdon de la tour Pey-Berland grondait en moi avec plus de puissance que sur les toits de la ville où je suis né. Il couvrait de sa voix terrible les violons des tziganes.* Ce sont de ces moments de la vie, où on a la certitude de trahir. Mes compagnons ne trahissaient pas, parce qu'ils n'avaient pas à choisir. Peut-être quelques-uns avaient-ils eu une enfance pareille à la mienne, mais ils l'avaient oubliée. J'étais le seul dans cette odeur de nourritures et dans le vacarme* des refrains idiots à recomposer en imagination, au milieu des ténèbres de la chambre à donner, cet îlot merveilleux de la crèche; seul à me souvenir du vieux cantique qui exprime l'abaissement, l'humilité de Dieu. Bien que je fusse encore en pleine jeunesse, ces bougies vacillaient dans le lointain d'un passé si reculé* que je croyais avoir mille ans. Et pourtant je sentais leur brûlure. Non, je n'avais aucune excuse, parce que j'étais poète et qu'un poète est un cœur en qui rien ne finit. Où avais-je traîné, où avais-je osé traîner, cette nuit-là, mon enfance qui ne m'avait pas quitté?

Je buvais pour perdre conscience de mon crime. Plus je buvais, plus je m'éloignais de mes camarades. Mais ils me gênaient avec leurs rires. Je quittai la table et me dirigeai vers le bar, dans un retrait où la lumière était plus douce. Je m'y accoudai, on me servit un whisky. A ce moment où je pensais à un petit garçon nommé Jean de Blaye, j'aperçus Jean de Blaye lui-même, juché* sur un tabouret à côté de moi. Je ne doutai pas que ce ne fût lui. Le même œil de pervenche que je regardais luire au-dedans de moi éclairait l'usure de cette jeune face que ma main aurait pu toucher. Je lui dis:

— On n'aurait pas dû te couper tes boucles.

Il ne parut pas étonné, mais me demanda d'une voix un peu pâteuse:* « Quelles boucles? »

— Celles qu'on t'a coupées pendant les vacances de Noël, en 1898.

— Tu me prends pour un autre, bien sûr! mais ça n'a pas d'importance... Je me sens si peu moi-même, ce soir!

— Et moi je sais que tu es de Blaye.

— Comment connais-tu mon nom?

Je poussai un soupir, je me sentais délivré: c'était lui! c'était bien lui! Je lui pris la main:

—Jean, tu te rappelles le platane?

Il rit:

— Le platane? quel platane? Et puis, tu sais, je ne me nomme pas Jean mais Philippe. Mon frère aîné s'appelait Jean... Tu me prends pour lui, peut-être?

Quelle douleur! ce n'était donc là que ce petit frère dont Jean de Blaye me parlait autrefois... Comment avais-je pu m'y tromper? Philippe avait un visage sans lumière. Il me dit tout à coup:

— Ses boucles... les boucles de Jean... Ça me rappelle une histoire...

Il me raconta que dans la chambre de leur mère, sur la commode, il y avait un coffret en argent, fermé à clef. Jean assurait à Philippe que c'était un trésor. Ils en rêvaient, mais leur mère ne voulait pas le leur montrer, elle leur interdisait d'ouvrir le coffret. Elle et Jean se heurtaient* toujours, toujours dressés l'un contre l'autre. « Elle l'aimait plus que moi, disait Philippe. Et au fond je crois bien qu'elle n'aimait que lui... Mais quelque chose les séparait, je ne sais quoi... Un jour Jean a forcé la serrure du coffret... la première serrure qu'il ait forcée, mais non la dernière, hélas! Le trésor, c'était ses boucles d'enfant, crois-tu? On aurait dit des cheveux de mort. Jean eut alors une de ses fureurs... Tu sais ce qu'il pouvait devenir dans ces moments-là. Il cessa d'écumer* quand il vit brûler dans la cheminée ses vieilles boucles. Le soir, ma mère... Je ne sais pourquoi je te raconte ces choses... » Il se remit à boire. Je songeais: « Il parle de son frère au passé. » Pourtant je savais d'avance la réponse que recevrait ma question posée d'une voix indifférente: « Il est mort? »

— L'année dernière, à l'hôpital de Saïgon... Il y a eu un avis dans les journaux, mais on n'a pas envoyé de faire-part*... Tu penses! après toutes ces histoires, après la vie qu'il avait menée...

J'aurais pu demander: « Quelle vie? » Je préférai dire: « Oui, oui... je sais... » et je savais en effet que Jean avait fini comme un mauvais garçon, comme un enfant perdu.

Je me souviens d'être revenu à pied vers mon logis d'étudiant. Des platanes maigres s'étiraient au-dessus de leur grille, au-dessus de l'asphalte souillée, et baignaient leurs branches dans le brouillard de l'aube. Beaucoup de monde traînait encore dans les rues. Je revois ce groupe de garçons hissant dans un taxi rouge une femme saoule. Très loin de ce désordre d'une nuit de réveillon,* mes yeux cherchaient au-

dessus des toits les espaces glacés peuplés d'anges que le bourdon de la
tour Pey-Berland avait dû éveiller. Il existe des ivresses lucides. En
même temps que je me sentais soulevé, non par les souvenirs de mon
enfance, mais par mon enfance elle-même, vivante et présente en moi,
je reconstituais avec une aisance miraculeuse l'histoire de Jean de
Blaye. Si je suis né poète, c'est cette nuit-là que je devins romancier, ou
du moins que j'ai pris conscience de ce don, de ce pouvoir. Je marchais
d'un pas rapide, léger, entraîné par la puissance de ma création. Je
tenais les deux bouts de ce destin: un petit garçon aux cheveux de fille
qui porte dans son cœur une exigence sauvage, une puissance de passion
toute concentrée sur sa mère, et puis cet homme presque enfant qui
agonise sur un lit d'hôpital, à Saïgon.

Je recréais l'écolier pour qui la parole maternelle avait une valeur
sacrée. Je voyais son regard au moment où il découvrit qu'elle était
capable de mentir; je mettais l'accent sur les boucles coupées: leur
retranchement avait marqué la fin de sa dévotion filiale... Ici finissait le
prologue de mon roman et j'entrais dans le vif du sujet: ce jeune mâle et
cette mère dressés l'un contre l'autre. La scène du coffret en devenait le
centre: Jean de Blaye haïssait dans celle qui l'avait mis au monde cette
obstination à faire revivre l'enfant qu'il n'était plus, à le tenir prisonnier
de son enfance pour le garder plus sûrement sous sa coupe.* A peine
l'homme commençait-il de poindre* en lui que déjà la lutte tournait au
tragique: la première amitié, le premier amour, la première nuit où il ne
rentra pas, les demandes d'argent, les compagnies inavouables,* le
premier délit* grave...

Je me trouvai devant ma porte. Le jour blanchissait mon balcon. Les
cloches annonçaient la messe de l'aurore. Malgré mon désir de sommeil,
je m'assis à ma table, en habit,* la boutonnière encore fleurie, je pris une
plume et une page blanche, tant j'avais peur d'oublier les idées qui
m'étaient venues! Un romancier venait de naître et ouvrait les yeux sur
ce triste monde.

from Plongées, © Grasset 1938

page 140 les piaillements – *the yells*

du bagne quotidien – *from the daily grind*

un quignon – *a chunk of bread*

la chambre à donner – *the spare room*

du papier d'emballage froissé – *crumbled wrapping-paper*

page 141 à l'entour – *round about*

les rideaux à grands ramages – *the curtains with big floral patterns*

ses souliers à bout ferré – *his steel-tipped shoes*

Les longues boucles du petit Jean de Blaye le vouaient à cette persécution – *Young Jean de Blaye's long curls foredoomed him to this persecution*

Lord Fauntleroy – *Little Lord Fauntleroy was the hero of a book of the same name published in 1881 by Frances Eliza Hodgson Burnett (1849–1924). The book was later dramatised, and its hero has become synonymous with velvet suits, frilly lace and ringlets*

le *Saint Nicolas* – *a children's magazine which commenced publication in both London and New York in 1872*

page 142 C'était pour me payer sa tête – *I was making fun of him; I was doing it to have him on*

nos gibernes – *our satchels*

un grand trouble – *great embarrassment*

page 143 Des baraques – *stalls; booths*

elle s'y laissera prendre – *she will be fooled; she will be taken in*

le bourdon – *the great bell; the bass bell*

Mowgli – *the boy hero of Kipling's 'Jungle Book'*

page 144 enfin... – *anyway; anyhow*

ne t'avise pas d'être encore éveillé – *don't take it into your head to be still lying awake*

un dernier tison – *a final ember*

les chenets – *the fire-dogs*

ces espaces lactés – *those milky ways*

effaroucher – *to startle; to frighten away*

page 145 je sombrai à la fois dans les bras de ma mère et dans le *page* 145 sommeil – *I sank both into my mother's arms and into a deep sleep*

un ânon – *a young donkey; an ass's colt*

qui pataugeaient dans les flaques de la cour – *which were splashing in the puddles in the yard*

Il me tardait de pouvoir lui dire le secret – *I was itching to be able to tell him the secret*

son air dégagé – *his perky appearance*

page 146 Il bougonna – *He muttered*

il se payait notre tête – *see note to page 142*

des gosses – *kids*

les courroies – *the straps*

Le sang envahit ses oreilles décollées, en ailes de Zéphyr – *The blood rushed to his ears which stuck out like the wings of the west wind*

Elle avait blagué? – *Was she kidding?*

maussade – *surly; peevish; disgruntled*

page 147 Dans cette atmosphère de «boîtes» – *In that night-club atmosphere*

tziganes – *Hungarian gypsies*

le vacarme – *the uproar; the din*

reculé – *remote*

juché sur un tabouret – *perched on a stool*

une voix un peu pâteuse – *a slightly slurred voice*

page 148 Elle et Jean se heurtaient toujours – *She and Jean never got on together*

Il cessa d'écumer – *He stopped seething with anger*

on n'a pas envoyé de faire-part – *nobody sent me a notification of the funeral*

une nuit de réveillon – *a Christmas Eve. 'Le réveillon' is the meal eaten after midnight mass in the early hours of Christmas morning*

page 149 sous sa coupe – *under her thumb*

poindre – *to appear; to develop*

les compagnies inavouables – *the shameful company*

le premier délit grave – *the first serious misdemeanour*

en habit – *in evening dress*

Jacques Perret

Jacques Perret was born on September 8th, 1901, at Trappes in the *département* of *Seine et Oise*. After successfully obtaining the degrees of *Licencié ès Lettres* and *Licencié en Droit*, he proceeded to the *Diplôme d'Etudes Supérieures*, but at this point he abandoned his studies. He has subsequently followed a rather mixed career, being in turn a teacher in Denmark, a lumberjack in Sweden, a mercenary in Nicaragua, a gold-prospector in Guyana and a freelance journalist. He joined the army in 1939 and won the Military Medal before he was taken prisoner; he later managed to escape on three occasions. His wide travels and adventures are used to great effect as a colourful background for his novels, which include *Roucou*, *Ernest le Rebelle*, *Le Caporal épinglé* (1947), *Le Vent dans les voiles* (1948) and *Bande à part* which won the Prix Interallié in 1951. He has since published *La Bête Mahousse* (1951), *Rôle de Plaisance*, *Cheveux sur la soupe* (1954) and *Le Machin* (1955) among others.

La Mouche is taken from *Histoires sous le vent* (1953); the basic story should be familiar to those who have seen the film *Le Mouton à cinq pattes*, since it was one of the five episodes in which Fernandel took the main role, impersonating in succession each of the quintuplets who had not returned home for nearly forty years.

La Mouche

par JACQUES PERRET

Le *Big-Tramp* était ancré au milieu de la baie de Zacatucan, sous un soleil de plomb. Sauf trois hommes qui jouaient aux cartes dans la cabine du capitaine, tout le monde faisait la sieste, à bord et sur la côte.

Pour éviter l'air brûlant on avait fermé le hublot* avec les écrous,*
comme un couvercle d'autoclave,* et la cabine sentait le linge sale en
fermentation. Assis sur son grabat,* le capitaine faisait tomber les
cartes sur une vieille couverture avec des ahannements* de bûcheron,
en face de Ramon le métis,* un mercanti* de la côte, et d'un Chinois
gras et propret,* tous deux accroupis par terre.

Le capitaine Bacon était un vieux blond avec des joues mal rasées qui
brillaient comme du papier de verre et un cou tout fripé* de plis mous
comme un goitre dégonflé. Il avait une drôle de petite voix d'enfant
enrhumé avec, de-ci, de-là, des intonations un peu gâteuses à cause des
gencives dégarnies :

— C'est bon! dit-il sans montrer ses cartes, j'ai perdu.

Il prit un papier qui traînait sur le coin de la toilette,* suça longuement
la mine* d'un crayon et fit une dernière croix en face de la dernière
ligne : avec ces quatre-vingts estagnons* de farine, tout son fret* était
perdu maintenant. Il laissa tomber sur la couverture le connaissement*
du *Big-Tramp* avec un sourire de bon joueur assez mal réussi. D'une
main tremblante, il ralluma son mégot,* puis jeta l'allumette dans la
cuvette d'eau sale, se leva pour dévisser le hublot et, d'un coup de pied
en vache,* ouvrir la porte de la cabine afin d'appeler un peu d'air. Il
n'arriva qu'une molle bouffée de tiédeur avec un murmure de chauds
gloussements* qui venaient des cages à poules. Il avait joué la volaille
aussi, bien entendu, avec une demi-douzaine de barils de bœuf et perdu
le lot avec un carré* de valets. Enfin, n'en parlons plus. Tout cela était
bien étrange. Le capitaine Bacon avait toujours eu horreur du jeu qui lui
fatiguait la tête et, quand il perdait, il en avait l'estomac resserré pendant
huit jours et des bourdonnements d'oreilles. Et voilà qu'aujourd'hui
il s'était lancé comme un fou et s'enfonçait et s'empêtrait dans une
partie d'enfer. Ça l'avait pris comme un coup de bambou, comme
une attaque. Il croyait sentir qu'une maîtresse cheville* s'était rompue
quelque part dans les régions mystérieuses de son être et que des choses
importantes s'étaient écroulées soudain, comme mangées aux vers.
L'âge sans doute. Il y a des gens comme ça qui vieillissent tout d'un
coup, entre le rhum de dix heures et le tafia* de midi. Et cette brusque
passion de jeu ressemblait bien à une capitulation sénile, c'était dégoû-
tant, il lâchait tout sans se retenir, comme un gaga qui fait sous lui.*

Les autres griffonnaient leurs petits comptes personnels avec un bout

de craie sur le plancher, en soufflant pour écarter les mégots. Le capitaine posa un instant son regard mol et mouillé sur les cheveux de
Ramon, une touffe crépue* qui faisait valoir de grandes oreilles tour-
mentées, puis sur la tête du Chinois, une belle brosse de cheveux drus*
où il remarqua sur l'occiput* une lacune* oblongue de la dimension
d'une graine de melon, une cicatrice peut-être, ou la petite surface
pelée d'une vieille idée fixe, ou un trou de mite, peu importe.

Le capitaine Bacon rajusta son regard engourdi,* tira sur son mégot,
évoqua sa cale vide, son bâtiment sur lest,* ses clients escroqués,* sa
ruine. « C'est malin de se mettre dans des cas pareils à soixante-huit
ans, quand on a des jambes gonflées de varices baveuses et même pas
deux chicots* pour tenir une pipe... Sale vieux Bacon, tu m'écœures! »
souffla-t-il entre ses lèvres flasques* et tout en ramassant un vieux linge.
Méticuleusement, il s'épongea le torse par l'échancrure* de la chemise,
puis les aisselles,* enfin la figure, ce qui laissa un peu d'aigreur au coin
de la bouche. Il jeta le torchon,* but une gorgée de rhum et se baissa
pour reprendre ses cartes.

— On continue? demanda Ramon un peu surpris.

— Bien sûr, dit le capitaine en déchirant ses cartes, mais plus avec
ça, on va trouver autre chose.

Il jeta les débris sous sa couchette, sauf un petit morceau de trèfle
qu'il roula en fuseau* pour se curer l'oreille.

— Mais vous allez jouer quoi? demanda le Chinois.

— Le bateau contre 8.000 dollars.

On était trop loin de compte.

— Bon..., eh bien! le bateau contre son fret, fit le capitaine en posant
la main sur le connaissement, le contenant contre le contenu, ça va?

— Et on joue ça à quoi? Aux dés? Au six-huit?* A pique-faillot? Au
pied-cassé, à pair-ou-impair, au doigt mouillé?

— Ou bien à pull-nickel? proposa le métis, ou au biki-boka, ou à
pousse-mégot? Ça n'est pas fatigant.

— Ça vaudrait la peine de jouer ça à la mouche, dit le Chinois en
soulevant ses petits yeux sans blanc à cause des paupières mal taillées.
Vous avez un local?*

— L'infirmerie; il y a de la toile métallique au hublot.

— Et la mouche? fit Ramon en regardant au plafond.

— Venez.

Sur le pont, c'était la fournaise, et le plancher brûlait sous les espadrilles. Le capitaine s'arrêta un instant, ajusta sa visière et fit un geste vague :

— Tout de même, dit-il, vous vous rendez compte de l'enjeu? Un petit bric* avec un grand mât tout neuf en pin du Honduras, et des haubans* à ridoirs,* et calfaté* il y a pas un an. Avec deux ou trois raccords de peinture c'est un bâtiment tout neuf, et pour ce qui est de la voilure...

— Voyons la mouche, dit Ramon.

Le capitaine regarda le métis et haussa les épaules :

— Evidemment, dit-il, vous n'avez pas une figure à discuter bateaux. Si vous gagnez celui-là, ajouta-t-il en donnant un coup de pied dans le capot d'écoutille, c'est probablement pas pour naviguer avec et...

— La mouche! fit le Chinois avec un suave sourire qui fit reluire sa vilaine peau d'andouille,* belle peau pour y faire claquer les mains si on avait seulement dix ans de moins, des mollets sans varices et deux ou trois chicots histoire de serrer les dents.*

Le capitaine les conduisit par bâbord jusqu'au seuil de la cambuse.* Sitôt la porte ouverte, un vol grouillant se mit à bourdonner dans l'ombre qui sentait la saumure* confinée. Il n'eut qu'à lancer la main dans le tas pour attraper une mouche, et le Chinois ayant pris trois morceaux de sucre, ils s'en retournèrent vers l'avant. Le capitaine s'arrêta à l'ombre du grand mât pour se masser un peu la jambe puis il leva la tête et son regard glissa le long des drisses* molles :

— Quand je dis un bric, fit-il, ce n'est pas tout à fait exact puisqu'il y a une brigantine de misaine, que le grand mât n'a pas de cacatois,* que mon bout-dehors* est planté comme pour une goélette et que tout ça est haubané* comme un schooner de la Barbade...

Tout en parlant, il faisait des gestes avec son poing bien fermé sur la mouche qui lui chatouillait la paume.

— Allons, dit le Chinois, elle va s'énerver et le jeu sera brouillé.

Ils arrivèrent au rouf,* dans le réduit que le capitaine appelait infirmerie à cause d'une petite armoire à drogues et d'un crachoir en fer-blanc. Le charpentier avait pris l'habitude d'y passer ses loisirs qu'il consacrait à la fabrication de chapelets en yeux de poissons des mers chaudes. Les yeux roses du maquereau-panama servaient pour les *pater*. Il avait une bonne clientèle du côté de la Californie mexicaine. Les cloisons du local étaient chamarrées* de chapelets en guirlandes et le capitaine poussa du pied un couvercle en carton où séchaient des yeux blancs. Ramon ferma la porte et le Chinois revissa le hublot parce qu'il avait remarqué une déchirure dans la toile métallique. Tous trois prirent place autour d'une table pliante, chacun devant son morceau de sucre et le capitaine, bras tendu, ouvrit les doigts et lâcha la mouche. A elle maintenant de choisir son sucre et désigner le gagnant.

Elle commença par se cogner aux quatre coins de la cabine, puis s'en alla buter au plafond et se posa sur la petite armoire à drogues pour s'y dégourdir* les ailes et se frotter les pattes. Le métis et le Chinois, la tête droite et l'oreille immobile, la considéraient sans ciller mais le capitaine qui n'avait pas le droit de se retourner se contentait d'épier le regard des deux hommes. La mouche reprit son vol, fit un rond autour des oreilles de Ramon, s'en alla flairer* les chapelets, explora deux ou trois yeux secs, n'y trouva rien de comestible, s'en revint sous le nez du Chinois, rebroussa chemin comme si elle eût senti quelque chose de bon, fit un zigzag au-dessus du sucre de Ramon et brusquement partit à fond de train vers le plafond. Elle parut y trouver quelque chose d'intéressant, se posa, chemina tranquillement comme une désœuvrée repue,* butina* sans goût quelques chiots* secs et s'arrêta pour considérer longuement, en bas, ces trois regards révulsés qui la fixaient d'une prunelle extatique comme si elle eût été papillon rare ou angelot plafonnier.* L'œil du Chinois, mat et sans lumière, laissait voir enfin un filet blanc. L'œil un peu mauve du métis était figé dans un effort d'hypnotiseur. L'œil du capitaine était vacillant avec le bleu qui fondait dans un brouillard bilieux.

Au bout de cinq minutes la mouche se laissa tomber comme une alouette au-dessus de la table et se mit à bourdonner de l'un à l'autre, traçant des figures élastiques aux crochets* bien amortis.* Tantôt elle semblait le jouet de trois regards d'égale force qui l'attiraient à tour de rôle sans pouvoir la retenir, tantôt c'était elle qui menait le jeu, s'amusant à fatiguer les yeux dans son sillage,* à faire battre les cœurs et mouiller les tempes. Jusqu'à présent, elle semblait accorder sa préférence au Chinois qui avait une extraordinaire puissance d'immobilité. Il ne remuait pas plus qu'un meuble et semblait décidé à ne plus respirer avant la fin de la partie. « J'aurais dû me méfier, se disait le capitaine, il a une gueule de charmeur de mouches; tous ces gars-là, c'est un peu fakir et compagnie. » Lui-même était assez inquiet à cause de son nez bouché* qui l'obligeait à respirer par la bouche et cela faisait peut-être une mauvaise atmosphère autour de son sucre.

La mouche ayant disparu on attendit patiemment dix bonnes minutes sans bouger, puis, d'un commun accord, on décida de s'ébrouer* un peu, et la mouche reparut, avec un joli murmure qui tournait rond. On s'immobilisa de nouveau. Elle fit deux ou trois crochets frénétiques, buta comme une folle dans la toison crépue du métis, s'en dépêtra* avec un vrombissement rageur et vint tomber devant lui à côté de son sucre. Dehors on n'entendait rien, même pas le clapotis,* et cette immobilité tendue faisait couler des filets de sueurs le long des côtes. Le métis avait une grosse goutte qui lui pendait au menton et ses yeux se gonflaient visiblement au-dessus de la mouche qui s'avançait par saccades* vers le sucre. Mais elle dut sentir sur ses ailes le poids de ce regard et l'aubaine* lui parut baigner dans un élément suspect, comme une friandise de piège. Elle s'envola.

Ayant vainement cherché à dépister ces trois. paires d'yeux qui l'excédaient, elle dut se résigner à décrire d'interminables polygones au ras du plafond comme pour s'entraîner sur un parcours de compétition. On entendait fort bien les modulations de sa course et, là-bas, très loin sur la baie, quelques cris de mouette étouffés par la chaleur. Tout près du hublot, un pélican passa, balayant la table d'une grande ombre rapide. Le capitaine avait abandonné la mouche qui lui donnait le tournis* et regardait ses partenaires. Sans lever la tête, le Chinois avait retroussé ses yeux vers le plafond, ses yeux plats comme des lentilles et qui bougeaient minutieusement sous le bourrelet* des paupières. Jolis yeux à enfiler pour des chapelets maudits, pensa le capitaine. Le métis avait la tête renversée, la bouche ouverte, retenue par la peau du cou, et parfois sa pomme d'Adam faisait un laborieux va-et-vient pour avaler un gros paquet d'impatience et d'angoisse. Le capitaine le trouva odieux, puis ridicule et se jugea plus malin en feignant de penser à autre chose. « Le mieux, songeait-il, c'est de jouer l'indifférence; la passion importune le hasard et quand on le met en demeure de rendre un arrêt il faut se montrer discret, avec un tantinet* d'insouciance. » D'ailleurs il ressentait une vague envie de dormir. Les deux mains allongées de chaque côté du morceau de sucre, le buste affalé* sur la chaise, les jambes gourdes,* la chemise plaquée aux épaules par la sueur, il enchaîna sa rêverie sur l'imperceptible clapotis qui s'ébrouait maintenant aux flancs du bateau: avec son beau taille-mer redoré* le *Big-Tramp* chargé jusqu'au plat-bord coupait gaiement la lame sous une petite brise de père de famille; une mouette voltigeait autour du métis et du Chinois crevés qui se balançaient à la grand'vergue* et l'équipage faisait des paris: « Elle commencera par le Chinois », disaient les bâbordais, « Par le métis », disaient les tribordais. Et le capitaine Bacon riait dans le soleil en déclamant: « Voilà comment on travaille quand on a trente-deux dents, des jarrets* comme des ressorts et un petit foie moelleux pas plus gros que le poing. »

Le capitaine ouvrit l'œil parce qu'il avait cru sentir comme une altération du silence, une congestion de l'atmosphère; son regard barbouillé fit trois petits tours inquiets puis s'accommoda lentement sur le visage du Chinois où cheminait la mouche. Les papattes* grouillaient menu sur le front bien lisse, une belle surface revêtue d'un fin limon* graisseux où la bestiole pompait de-ci de-là, gourmande, à petits coups de trompe;* livré à ces raffinements de crafouillettes* et chatouillis* le Chinois offrait un visage serein qui laissait deviner un système nerveux de céphalopode.* En revanche, par sympathie incoercible, le capitaine fut obligé de se gratter le front avec une certaine impatience, ce qui lui valut* un regard foudroyant du Chinois: la mouche était partie. Elle s'en fut narguer* le métis en exécutant quelques spirales dans la perpendiculaire de son sucre et revint atterrir sur la chemise rose du Chinois qui baissa les yeux; il n'avait pas de sourcils et si peu de cils que ses paupières maintenant baissées, tendues sans un pli, se distinguaient à peine sur la peau du front. Le capitaine se laissa fasciner quelques secondes par cette espèce de moignon* facial, fut pris de nausée, chercha la mouche et la vit sur la table, en face du Chinois, à trois centimètres du sucre.

Elle s'approcha encore, à le toucher, puis s'arrêta Dieu sait pourquoi. Elle devait pourtant baigner dans une odeur de sucre et déjà saliver de la trompe, mais elle demeurait immobile, aux aguets avec une patte levée peut-être, comme un chien d'arrêt. Le silence était devenu si minutieux qu'elle avait jugé bon, elle aussi, de couper sa respiration. Le clapotis de son côté avait dû se figer contre la coque et les mouettes lointaines se poser sur l'eau chaude, silencieuses comme des canards de baignoire. Le capitaine fut pris d'un malaise: il sentait son foie qui gonflait et songeait que la mouche immobile où pataugeait son regard inerte allait sous peu lui rentrer dans la cervelle comme dans une mangue blette. C'était dur de ne pas tout flanquer en l'air à grands coups de pied sous la table. Allez-y mes cochons, prenez-le donc mon *Big-Tramp* et laissez-moi y boire un dernier coup de rhum!

Alors, dans le silence éperdu qui suait l'effort et se dilatait d'impatience, dans le silence où besognait le hasard, un petit craquement retentit dans la cabine et la mouche s'envola.

Le capitaine tourna l'œil vers la cloison d'où venait le bruit. Un assemblage avait joué, un coup de chaleur sans doute, un de ces mille geignements* du bois qui travaille ou qui se détend. Le vieux bateau avait donné son avis, un petit cri de défense ou d'indignation, à l'instant où son maître allait le livrer aux mercantis: « Fichu Bacon, grinçait le *Big-Tramp*, j'avais rêvé pour toi une bonne fin tranquille dans un glou-glou* honorable au cœur d'un cyclone et je te vois disposé à traîner tes mollets loqueteux dans toutes les misères de la côte! Enfin... ça te regarde après tout. Mais moi alors, dans l'affaire, qu'est-ce que je deviens? On va me coller sur la dunette un petit corniaud* de cul-mouillé qui ne saura même pas que je peux faire le près* comme pas un avec la grand'voile et la misaine bordées à péter,* ni que l'épissure* de ma drisse* de grand floc* a été faite un dimanche de Pâques par le grand Jim qui était fin saoul! C'est assez moche* de me faire un coup pareil, à mon âge, quand on aurait pu crever tous les deux, honnête-ment, sur un petit récif de corail, avec ma coque pourrie et ton foie moisi..., mon vieux Bacon, tu es un beau salaud! »

Qu'est-ce que c'est que ces calembredaines?* Le capitaine Bacon n'était pourtant pas homme à se laisser farcir* la pastèque* par des enfantillages de vieux chnoque* radoteur* dans le genre bateau-qui-parle et vaisseau-fantôme. Et pourtant le *Big-Tramp*, à la suite de quelque mystérieuse impulsion du maître-couple* transmise de bordée* en barrot* jusqu'aux bouvetages* du rouf,* avait donné de la voix et chassé le mauvais sort. C'était plutôt la mouche d'ailleurs qui avait entendu la voix et compris le signal, sans quoi elle n'eût pas pris peur pour ce petit bruit banal. Le capitaine ne la quitta plus du regard; « une mouche du bord après tout, elle est née ici, quelque part sur un bout de queue de cochon ou sur un fond de baril, c'est elle qui vient boire le café dans ma soucoupe pendant les quarts de nuit, qui va ensuite faire ses besoins sur la photo de ma belle-sœur et qui fait blasphémer le second quand il lit ses prières, une mouche du bord, quoi ! » Le capitaine la regardait avec une gentille fossette au coin de la bouche et ses pommettes râpeuses* se bombaient d'attendrissement sous la poche frisée de ses yeux paternels. La mouche vint lui frôler l'oreille, juste le temps d'y glisser une confidence et il sentit sur le cou le vent de son passage comme une caresse de connivence. Elle vint même se poser sur sa bouche entr'ouverte pour lui faire de petites agaceries* d'une commissure* à l'autre et lui montrer qu'elle ne répugnait pas au fumet de son haleine. Le capitaine sourit et elle vint se poser sur le dos de sa main velue. Alors elle s'énerva un peu dans les poils mais s'y obstina, s'y fraya* un chemin zigzagant jusqu'à la jointure lisse de l'index et du médius où elle s'arrêta quelques instants à tournailler* avant de prendre un vol minuscule qui la fit tomber sur le pouce, près de l'ongle encore tout noir d'un vieux pinçon,* un souvenir de coup dur et de mauvais temps… tout de même, avec ses jambes en pâté de foie, il avait tenu la barre toute cette nuit-là en serrant les gencives, le vieux Bacon ! La mouche fit un brin de toilette, se repassa les ailes, se caressa le cou en minaudant* puis se frotta les mains avec une évidente satisfaction… Bien astiquée, elle fit un quart de tour, pencha la tête sur l'épaule et regarda le capitaine. Elle avait des bajoues* pleines de poils. Le capitaine hocha imperceptiblement la tête, elle fit un petit signe de la trompe et soudain trotta jusqu'en haut de l'ongle, prit son élan et tomba sur le sucre.

Avant tout, le capitaine commença par satisfaire une envie de se gratter le derrière qui le travaillait depuis longtemps. Ensuite il souleva sa casquette, se passa la main sur le crâne, remit sa casquette et l'ajusta avec une certaine affectation. Là-bas sur la baie, les mouettes recommencèrent à criailler tandis qu'au flanc du *Big-Tramp*, à tribord, la brise chaude ranimait le clapotis.

Ramon qui n'en pouvait plus bouffa son morceau de sucre, quitta la table et s'en fut sur le pont,* mais le capitaine remit en jeu sa cargaison retrouvée contre 3.000 dollars qu'il gagna en moins de deux. Le Chinois parut soupçonner que la mouche était pipée,* demanda un grand verre d'eau et prit congé pour descendre à la chaloupe* où l'attendait le métis en se rongeant les ongles. Penché par-dessus bord, le capitaine toucha sa casquette pour leur dire gentiment adieu et le Chinois renversa vers lui sa face de méduse* bilieuse où tremblotait un sourire charmant.

« Pom pom ! Badapom pom ! pom ! » fit le capitaine en jouant gaiement de ses lèvres molles ; puis il fléchit sur les jarrets, à plusieurs reprises et fort allégrement, avant de gagner sa cabine pour y serrer ses dollars et y faire un bout de sieste.

Sous la moustiquaire il trouva une mouche. Une mouche emprisonnée qui se démenait bruyamment. Le capitaine Bacon aurait pu soulever un peu la mousseline et lui donner la liberté avec un petit mot gentil ; c'eût été correct et régulier. La moindre des choses. Comme il se sentait vraiment très bien et qu'il n'était plus d'humeur à se raconter des histoires, il n'y songea même pas. Il prit seulement la serviette encore mouillée de ses sueurs et en asséna un bon coup sur la mouche qui fut tuée net. Le capitaine Bacon n'était pas encore mûr pour la retraite.

from *Histoires sous le vent*, © Gallimard 1935

NOTES

on avait fermé le hublot avec les écrous, comme un couvercle d'autoclave – *someone had closed the porthole with the wingnuts, like the lid of a pressure-cooker*

son grabat – *his bunk*

des ahannements – *grunts; gasps*

le métis – *the half-breed*

un mercanti – *a bazaar-keeper*

propret – *neat*

fripé – *worn*

la toilette – *the wash-stand*

la mine – *the black-lead*

estagnons – *drums*

fret – *freight*

le connaissement – *the bill of lading*

page 154 son mégot – *his cigar-butt*

d'un coup de pied en vache – *with a backwards kick against the bottom of the door*

gloussements – *clucking*

un carré de valets – *four jacks*

une maîtresse cheville – *a king-pin*

le tafia – *a spirit made from molasses*

comme un gaga qui fait sous lui – *like an incontinent dodderer*

page 155 une touffe crépue – *a fuzzy tuft*

une belle brosse de cheveux drus où il remarqua sur l'occiput une lacune oblongue – *a fine thick head of hair amongst which he made out a bare oblong patch on the back of the head*

Le capitaine Bacon rajusta son regard engourdi, tira sur son mégot, évoqua sa cale vide, son bâtiment sur lest, ses clients escroqués, sa ruine – *Captain Bacon refocused his bleary eyes, pulled on his cigar-butt, spared a thought for his empty hold, his vessel in ballast, his swindled customers and his own ruin*

deux chicots – *two stumps*

ses lèvres flasques – *his flaccid lips; his limp lips*

il s'épongea le torse par l'échancrure de la chemise, puis les aisselles – *he sponged down his chest and then his arm-pits through his shirt-opening*

le torchon – *the rag*

il roula en fuseau – *he rolled up into a spill*

Au six-huit?... – *various gambling games with exotic names. Most of them seem to have been made up by the author*

un local – *a place*

page 156 Un petit bric avec un grand mât tout neuf en pin du Honduras, et des haubans à ridoirs, et calfaté il y a pas un an – *A small brig with a brand-new main-mast of Honduras pine and with automatically stretching shrouds, and caulked less than a year ago*

sa vilaine peau d'andouille – *his unpleasant porky hide*

histoire de serrer les dents – *just so that you could clench your jaw (set your teeth)*

la cambuse – *the store-room*

page 156 la saumure – *pickling-brine*

le long des drisses molles – *along the slack halyards*

cacatois – *royal sail*

mon bout-dehors – *my boom*

tout ça est haubané – *everything is rigged*

Ils arrivèrent au rouf – *They came to the deck-house*

page 157 chamarrées – *bedecked*

pour s'y dégourdir les ailes – *in order to stretch its wings there*

flairer – *to smell; to sniff*

chemina tranquillement comme une désœuvrée repue, butina
  sans goût quelques chiots secs – *walked around placidly like
  a well-fed loafer, and without much interest picked at some
  dried flyspecks*

angelot plafonnier – *one of those plaster cherubs fixed to the ceiling*

crochets bien amortis – *steep banks*

son sillage – *its slip-stream*

page 158 son nez bouché – *his stuffed-up nose*

s'ébrouer – *to snort*

s'en dépêtra avec un vrombissement rageur – *extricated itself
  with an angry buzz*

le clapotis – *the lapping of the water*

par saccades – *in fits and starts*

l'aubaine – *the windfall; the godsend*

le tournis – *the staggers*

le bourrelet des paupières – *the rims of his eye-lids*

un tantinet d'insouciance – *a touch of casualness*

le buste affalé sur la chaise, les jambes gourdes – *his chest
  leaning on the back of the chair, his legs held still*

page 159 son beau taille-mer redoré – *her fine regilded cutwater (bow)*

la grand'vergue – *the main-yard*

des jarrets – *knees; legs*

les papattes – *the fly's pads*

un fin limon graisseux – *a trace of slimy grease*

à petits coups de trompe – *constantly picking with its proboscis*

crafouillettes et chatouillis – *scratching and tickling*

un système nerveux de céphalopode – *a nervous system like that
  of an octopus*

page 159 ce qui lui valut – *an action which earned him*

Elle s'en fut narguer – *It flew off to defy*

cette espèce de moignon facial – *this sort of facial amputation*

page 160 mille geignements du bois – *thousand creakings in the timbers*

un glou-glou – *a gurgle*

un petit corniaud de cul-mouillé – *a little whipper-snapper*

faire le près – *to sail close to the wind*

la grand'voile et la misaine bordées à péter – *the main-sail and the fore-sail close to being ripped away*

l'épissure de ma drisse de grand floc – *the splice on the halyard of my main-jib*

C'est assez moche – *It's absolutely rotten*

ces calembredaines – *these foolish utterances; this drivel*

farcir la pastèque – *to be fooled; to be taken in*

des enfantillages de vieux chnoque radoteur – *the childish twaddle of a drivelling old idiot*

quelque mystérieuse impulsion du maître-couple transmise de bordée en barrot jusqu'aux bouvetages du rouf – *some mysterious movement of the midships frame which had been communicated from the broadside beam to the cross-beam right on up to the joists of the deck-house*

page 161 ses pommettes râpeuses – *his rough cheeks*

pour lui faire de petites agaceries d'une commissure à l'autre – *to flit about from one line of his face to another*

s'y fraya un chemin – *cleared a way for itself*

tournailler – *to prowl around*

un vieux pinçon – *an old bruise*

en minaudant – *simpering; smirking*

des bajoues – *cheeks; chops; jowls*

s'en fut sur le pont – *went up onto the deck*

la mouche était pipée – *the fly had been decoyed*

la chaloupe – *the launch; the long-boat*

page 162 sa face de méduse bilieuse – *his face like that of a sick (angry) jelly-fish*

Jacques Prevert

Jacques Prévert was born in Neuilly-sur-Seine on February 4th, 1900. He is best known as a poet who has blended surrealism with elements of everyday life and with popular speech patterns. His first published work appeared in 1930 in a review, *Bifur,* under the title, *Souvenirs de famille ou L'Ange gardien.* He subsequently worked for the same publicity firm as Jean Anouilh, Max Ernst, Paul Grimault and Jean Aurenche, and contributed his poems to various newspapers and magazines. Like Anouilh, he became interested in the cinema, which offered a steady source of income, and worked with the famous director, Marcel Carné. However, his screen-plays and dialogue were far from being mere hack-work, and several of the films on which he worked are now classics of the cinema. His work in this field has included *Drôle de drame* (1937), *Quai des brumes* (1938), *Le jour se lève* (1939), *Les Visiteurs du soir* (1942), *Les Enfants du paradis* (1945), *Jéricho* (1945) and *Les Portes de la nuit* (1946). His poems have been published under the titles, *Paroles* (1948), *Spectacle*(1951) and *La Pluie et le beau temps* (1955). The anecdote included in this selection is taken from *Contes pour enfants pas sages.*

Le Dromadaire mécontent
par JACQUES PRÉVERT

Un jour, il y avait un jeune dromadaire qui n'était pas content du tout.
La veille, il avait dit à ses amis: « Demain, je sors avec mon père et ma mère, nous allons entendre une conférence, voilà comme je suis moi! »
Et les autres avaient dit: « Oh, oh, il va entendre une conférence, c'est merveilleux », et lui n'avait pas dormi de la nuit tellement il était impatient et voilà qu'il n'était pas content parce que la conférence n'était pas du tout ce qu'il avait imaginé: il n'y avait pas de musique et il était déçu, il s'ennuyait beaucoup, il avait envie de pleurer.

Depuis une heure trois quarts un gros monsieur parlait. Devant le gros monsieur, il y avait un pot à eau et un verre à dents sans la brosse et de temps en temps, le monsieur versait de l'eau dans le verre, mais il ne se lavait jamais les dents et visiblement irrité il parlait d'autre chose, c'est-à-dire des dromadaires et des chameaux.

Le jeune dromadaire souffrait de la chaleur, et puis sa bosse le gênait beaucoup; elle frottait contre le dossier du fauteuil, il était très mal assis, il remuait.

Alors sa mère lui disait: « Tiens-toi tranquille, laisse parler le monsieur », et elle lui pinçait la bosse, le jeune dromadaire avait de plus en plus envie de pleurer, de s'en aller...

Toutes les cinq minutes, le conférencier répétait: « Il ne faut surtout pas confondre les dromadaires avec les chameaux, j'attire, mesdames, messieurs et chers dromadaires, votre attention sur ce fait: le chameau a deux bosses mais le dromadaire n'en a qu'une! »

Tous les gens de la salle disaient: « Oh, oh, très intéressant », et les chameaux, les dromadaires, les hommes, les femmes et les enfants prenaient des notes sur leur petit calepin.*

Et puis le conférencier recommençait: « Ce qui différencie les deux animaux, c'est que le dromadaire n'a qu'une bosse, tandis que, chose étrange et utile à savoir, le chameau en a deux... »

A la fin le jeune dromadaire en eut assez et se précipitant sur l'estrade,* il mordit le conférencier:

« Chameau!* » dit le conférencier furieux.

Et tout le monde dans la salle criait: « Chameau, sale chameau, sale chameau! »

Pourtant c'était un dromadaire, et il était très propre.

from *Contes pour enfants pas sages*,
© Editions du pré aux clercs 1959

NOTES

page 168 leur petit calepin – *their small notebooks*
  l'estrade – *the dais; the platform*
  Chameau – *often used in French with a pejorative sense*

Alain Robbe-Grillet

Alain Robbe-Grillet was born the son of an engineer in Brest on August 18th, 1922. He did not seem destined for a literary career, studying at the *Institut National Agronomique* and subsequently working as a research biologist in Africa and the West Indies. His first novel, *Les Gommes* (1953), established him as a member of the *nouvelle vague*, which has tried to make fundamental changes in the technique of novel-writing by replacing the psychological interplay of chosen characters by an impersonal view of an impenetrable world which rejects any attempt at a subjective approach. Robbe-Grillet's second novel, *Le Voyeur* (1955), consolidated his position and won the *Prix des Critiques*, and he has followed it with *La Jalousie* (1957), *Dans le labyrinthe* (1959), *Pour un nouveau roman* (1963), *La Maison de rendez-vous* (1965), *Projet pour une révolution à New York* (1970), and a collection of short stories, *Instantanés* (1962). He is perhaps best known for his scenario for Alain Resnais' film, *L'Année dernière à Marienbad*, which caused considerable controversy. He has since written other screen-plays which he has directed himself, *L'Immortelle*, awarded the *Prix Louis Delluc* in 1963, *Trans-Europ-Express*, *L'Homme qui ment* and *L'Eden et après*. There can be little doubt that his name will continue to be a cause of controversy in the years to come.

Trois visions réfléchies

par ALAIN ROBBE-GRILLET

La cafetière est sur la table.

C'est une table ronde à quatre pieds, recouverte d'une toile cirée à quadrillage rouge et gris sur un fond de teinte neutre, un blanc jaunâtre qui peut-être était autrefois de l'ivoire — ou du blanc. Au centre, un carreau de céramique tient lieu de dessous de plat; le dessin en est entièrement masqué, du moins rendu méconnaissable, par la cafetière qui est posée dessus.

La cafetière est en faïence brune. Elle est formée d'une boule, que surmonte un filtre cylindrique muni d'un couvercle à champignon. Le bec est un S aux courbes atténuées, légèrement ventru* à la base. L'anse* a, si l'on veut, la forme d'une oreille, ou plutôt de l'ourlet* extérieur d'une oreille; mais ce serait une oreille mal faite, trop arrondie et sans lobe, qui aurait ainsi la forme d'une « anse de pot ». Le bec, l'anse et le champignon du couvercle sont de couleur crème. Tout le reste est d'un brun clair très uni, et brillant.

Il n'y a rien d'autre, sur la table, que la toile cirée, le dessous de plat et la cafetière.

A droite, devant la fenêtre, se dresse le mannequin.

Derrière la table, le trumeau* de cheminée porte un grand miroir rectangulaire dans lequel on aperçoit la moitié de la fenêtre (la moitié droite) et, sur la gauche (c'est-à-dire du côté droit de la fenêtre), l'image de l'armoire à glace. Dans la glace de l'armoire on voit à nouveau la fenêtre, tout entière cette fois-ci, et à l'endroit (c'est-à-dire le battant droit à droite et le gauche du côté gauche).

Il y a ainsi au-dessus de la cheminée trois moitiés de fenêtre qui se succèdent, presque sans solution de continuité, et qui sont respective-ment (de gauche à droite): une moitié gauche à l'endroit, une moitié droite à l'endroit et une moitié droite à l'envers. Comme l'armoire est juste dans l'angle de la pièce et s'avance jusqu'à l'extrême bord de la fenêtre, les deux moitiés droites de celle-ci se trouvent seulement séparées par un étroit montant* d'armoire, qui pourrait être le bois de milieu de la fenêtre (le montant droit du battant gauche joint au montant gauche du battant droit). Les trois vantaux* laissent apercevoir, par-dessus le brise-bise,* les arbres sans feuilles du jardin.

La fenêtre occupe, de cette façon, toute la surface du miroir, sauf la partie supérieure où se voient une bande de plafond et le haut de l'armoire à glace.

On voit encore dans la glace, au-dessus de la cheminée, deux autres mannequins: l'un devant le premier battant de fenêtre, le plus étroit, tout à fait sur la gauche, et l'autre devant le troisième (celui qui est le plus à droite). Ils ne font face ni l'un ni l'autre; celui de droite montre son flanc droit; celui de gauche, légèrement plus petit, son flanc gauche.

Mais il est difficile de le préciser à première vue, car les deux images sont orientées de la même manière et semblent donc toutes les deux montrer le même flanc — le gauche probablement.

Les trois mannequins sont alignés. Celui du milieu, situé du côté droit de la glace et dont la taille est intermédiaire entre celles des deux autres, se trouve exactement dans la même direction que la cafetière qui est posée sur la table.

Sur la partie sphérique de la cafetière brille un reflet déformé de la fenêtre, une sorte de quadrilatère dont les côtés seraient des arcs de cercle. La ligne formée par les montants de bois, entre les deux battants, s'élargit brusquement vers le bas en une tache assez imprécise. C'est sans doute encore l'ombre du mannequin.

La pièce est très claire, car la fenêtre est exceptionnellement large, bien qu'elle n'ait que deux vantaux.

Une bonne odeur de café chaud vient de la cafetière qui est sur la table.

Le mannequin n'est pas à sa place : on le range d'habitude dans l'angle de la fenêtre, du côté opposé à l'armoire à glace. L'armoire a été placée là pour faciliter les essayages.*

Le dessin du dessous de plat représente une chouette* avec deux grands yeux un peu effrayants. Mais, pour le moment, on ne distingue rien, à cause de la cafetière.

LE REMPLAÇANT

L'étudiant prit un peu de recul et leva la tête vers les branches les plus basses. Puis il fit un pas en avant pour essayer de saisir un rameau qui semblait à sa portée ; il se haussa sur la pointe des pieds et tendit la main aussi haut qu'il put, mais il ne réussit pas à l'atteindre. Après plusieurs tentatives infructueuses, il parut y renoncer. Il abaissa le bras et continua seulement à fixer des yeux quelque chose dans le feuillage.

Ensuite il revint au pied de l'arbre, où il se posta dans la même position que la première fois : les genoux légèrement fléchis, le buste courbé vers la droite et la tête inclinée sur l'épaule. Il tenait toujours sa serviette de la main gauche. On ne voyait pas l'autre main, de laquelle il s'appuyait sans doute au tronc, ni le visage qui était presque collé contre l'écorce,* comme pour en examiner de très près quelque détail, à un mètre cinquante du sol environ.

L'enfant s'était de nouveau arrêté dans sa lecture, mais cette fois-ci il devait y avoir un point, peut-être même un alinéa,* et l'on pouvait croire qu'il faisait un effort pour marquer la fin du paragraphe. L'étudiant se redressa pour inspecter l'écorce un peu plus haut.

Des chuchotements s'élevaient dans la classe. Le répétiteur* tourna la tête et vit que la plupart des élèves avaient les yeux levés, au lieu de suivre la lecture sur le livre; le lecteur lui-même regardait vers la chaire d'un air vaguement interrogateur, ou craintif. Le répétiteur prit un ton sévère:

« Qu'est-ce que vous attendez pour continuer? »

Toutes les figures s'abaissèrent en silence et l'enfant reprit, de la même voix appliquée, sans nuance et un peu trop lente, qui donnait à tous les mots une valeur identique et les espaçait uniformément:

« Dans la soirée, Joseph de Hagen, un des lieutenants de Philippe, se rendit donc au palais de l'archevêque pour une prétendue visite de courtoisie. Comme nous l'avons dit les deux frères... »

De l'autre côté de la rue, l'étudiant scrutait* à nouveau les feuilles basses. Le répétiteur frappa sur le bureau du plat de sa main:

« Comme nous l'avons dit, virgule, les deux frères... »

Il retrouva le passage sur son propre livre et lut en exagérant la ponctuation:

« Reprenez: « Comme nous l'avons dit, les deux frères s'y trouvaient déjà, afin de pouvoir, le cas échéant, se « retrancher derrière cet alibi... » et faites attention à ce que vous lisez. »

Après un silence, l'enfant recommença la phrase:

« Comme nous l'avons dit, les deux frères s'y trouvaient déjà, afin de pouvoir, le cas échéant, se retrancher derrière cet alibi — douteux en vérité, mais le meilleur qui leur fût permis dans cette conjoncture — sans que leur méfiant cousin... »

La voix monotone se tut brusquement, au beau milieu de la phrase. Les autres élèves, qui relevaient déjà la tête vers le pantin* de papier suspendu au mur, se replongèrent aussitôt dans leurs livres. Le répétiteur ramena les yeux de la fenêtre jusqu'au lecteur, assis du côté opposé, au premier rang près de la porte.

« Eh bien, continuez! Il n'y a pas de point. Vous avez l'air de ne rien comprendre à ce que vous lisez! »

L'enfant regarda le maître, et au delà, un peu sur la droite, le pantin de papier blanc.

« Est-ce que vous comprenez, oui ou non?

— Oui, dit l'enfant d'une voix mal assurée.

— Oui, monsieur, corrigea le répétiteur.

— Oui, monsieur », répéta l'enfant.

Le répétiteur regarda le texte dans son livre et demanda:

« Que signifie pour vous le mot « alibi »? »

L'enfant regarda le bonhomme de papier découpé, puis le mur nu, droit devant lui, puis le livre sur son pupitre; et de nouveau le mur, pendant près d'une minute.

« Eh bien?

— Je ne sais pas, monsieur », dit l'enfant.

Le répétiteur passa lentement la classe en revue. Un élève leva la main, près de la fenêtre du fond. Le maître tendit un doigt vers lui, et le garçon se leva de son banc:

« C'est pour qu'on croie qu'ils étaient là, monsieur.

— Précisez. De qui parlez-vous?

— Des deux frères, monsieur.

— Où voulaient-ils faire croire qu'ils étaient?

— Dans la ville, monsieur, chez l'archevêque.

— Et où étaient-ils en réalité? »

L'enfant réfléchit un moment avant de répondre.

« Mais ils y étaient vraiment, monsieur, seulement ils voulaient s'en aller ailleurs et faire croire aux autres qu'ils étaient encore là.

« Tard dans la nuit, dissimulés sous des masques noirs et enveloppés d'immenses capes, les deux frères se laissent glisser le long d'une échelle de corde au-dessus d'une ruelle déserte. »

Le répétiteur hocha la tête plusieurs fois, sur le côté, comme s'il approuvait à demi. Au bout de quelques secondes, il dit: « Bon. »

« Maintenant vous allez nous résumer tout le passage, pour vos camarades qui n'ont pas compris. »

L'enfant regarda vers la fenêtre. Ensuite il posa les yeux sur son livre, pour les relever bientôt en direction de la chaire:

« Où faut-il commencer, monsieur?

— Commencez au début du chapitre. »

Sans se rasseoir, l'enfant tourna les pages de son livre et, après un court silence, se mit à raconter la conjuration de Philippe de Cobourg. Malgré de fréquentes hésitations et reprises, il le faisait de façon à peu près cohérente. Cependant il donnait beaucoup trop d'importance à des faits secondaires et, au contraire, mentionnait à peine, ou même pas du tout, certains événements de premier plan. Comme, par surcroît,* il insistait plus volontiers sur les actes que sur leurs causes politiques, il aurait été bien difficile à un auditeur non averti de démêler les raisons de l'histoire et les liens qui unissaient les actions ainsi décrites entre elles comme avec les différents personnages. Le répétiteur déplaça insensiblement son regard le long des fenêtres. L'étudiant était revenu sous la branche la plus basse; il avait posé sa serviette au pied de l'arbre et sautillait sur place en levant un bras. Voyant que tous ses efforts étaient vains, il resta de nouveau immobile, à contempler les feuilles inaccessibles. Philippe de Cobourg campait avec ses mercenaires sur les bords du Neckar.* Les écoliers, qui n'étaient plus censés* suivre le texte imprimé, avaient tous relevé la tête et considéraient sans rien dire le pantin de papier accroché au mur. Il n'avait ni mains ni pieds, seulement quatre membres grossièrement découpés et une tête ronde, trop grosse, où était passé le fil. Dix centimètres plus haut, à l'autre bout du fil, on voyait la boulette* de buvard* mâché qui le retenait.

Mais le narrateur s'égarait dans des détails tout à fait insignifiants et le maître finit par l'interrompre:

« C'est bien, dit-il, nous en savons assez comme ça. Asseyez-vous et reprenez la lecture en haut de la page: « Mais Philippe et ses partisans... »

Toute la classe, avec ensemble, se pencha vers les pupitres, et le nouveau lecteur commença, d'une voix aussi inexpressive que son camarade, bien que marquant avec conscience les virgules et les points:

« Mais Philippe et ses partisans ne l'entendaient pas de cette oreille. Si la majorité des membres de la Diète — ou même seulement le parti des barons — renonçaient ainsi aux prérogatives accordées, à lui comme à eux, en récompense de l'inestimable soutien qu'ils avaient apporté à la cause archiducale lors du soulèvement,* ils ne pourraient plus dans l'avenir, ni eux ni lui, demander la mise en accusation d'aucun nouveau suspect, ou la suspension sans jugement de ses droits seigneuriaux. Il fallait à tout prix que ces pourparlers, qui lui paraissaient engagés de façon si défavorable à sa cause, fussent interrompus avant la date fatidique.* Dans la soirée, Joseph de Hagen, un des lieutenants de Philippe, se rendit donc au palais de l'archevêque, pour une prétendue visite de courtoisie. Comme nous l'avons dit, les deux frères s'y trouvaient déjà... »

Les visages restaient sagement penchés sur les pupitres. Le répétiteur tourna les yeux vers la fenêtre. L'étudiant était appuyé contre l'arbre, absorbé dans son inspection de l'écorce. Il se baissa très lentement, comme pour suivre une ligne tracée sur le tronc — du côté qui n'était pas visible depuis les fenêtres de l'école. A un mètre cinquante du sol, environ, il arrêta son mouvement et inclina la tête sur le côté, dans la position exacte qu'il occupait auparavant. Une à une, dans la classe, les figures se relevèrent.

Les enfants regardèrent le maître, puis les fenêtres. Mais les carreaux du bas étaient dépolis et, au-dessus, ils ne pouvaient apercevoir que le haut des arbres et le ciel. Contre les vitres, il n'y avait ni mouche ni papillon. Bientôt tous les regards contemplèrent de nouveau le bonhomme en papier blanc.

LA MAUVAISE DIRECTION

Les eaux de pluie se sont accumulées au creux d'une dépression sans profondeur, formant au milieu des arbres une vaste mare, grossièrement circulaire, d'une dizaine de mètres environ de diamètre. Tout autour, le sol est noir, sans la moindre trace de végétation entre les troncs hauts et droits. Il n'y a, dans cette partie de la forêt, ni taillis ni broussailles. La terre est seulement couverte d'un feutrage* uni, fait de brindilles* et de feuilles réduites à leurs nervures, d'où émergent à peine par endroits quelques plaques de mousse, à demi décomposée. En haut des fûts,* les branches nues se découpent avec netteté sur le ciel.

L'eau est transparente, bien que de couleur brunâtre. De menus débris tombés des arbres — branchettes, graines vidées,* lambeaux d'écorce — se sont rassemblés au fond de la cuvette et y macèrent depuis le début de l'hiver. Mais aucun de ces fragments ne flotte, ni ne vient crever la surface, qui est uniformément libre et polie. Il n'y a pas le plus léger souffle de vent pour en troubler l'immobilité.

Le temps s'est éclairci. C'est la fin du jour. Le soleil est bas, sur la gauche, derrière les troncs. Ses rayons faiblement inclinés dessinent, sur toute la surface de la mare, d'étroites bandes lumineuses alternant avec des bandes sombres plus larges.

Parallèlement à ces raies,* une rangée de gros arbres s'aligne au bord de l'eau, sur la rive d'en face; cylindres parfaits, verticaux, sans branches basses, ils se prolongent vers le bas en une image très brillante, beaucoup plus contrastée que le modèle — qui par comparaison semble confus, peut-être même un peu flou.* Dans l'eau noire, les fûts symétriques luisent comme s'ils étaient recouverts d'un vernis. Un trait de lumière raffermit encore leur contour du côté du couchant.

Pourtant ce paysage admirable est non seulement renversé, mais discontinu. Les rais de soleil qui hachurent* tout le miroir coupent l'image de lignes plus claires, espacées régulièrement et perpendiculaires aux troncs réfléchis; la vision s'y trouve comme voilée par l'éclairage intense, qui révèle d'innombrables particules en suspension dans la couche superficielle de l'eau. Ce sont les zones d'ombre seules, où ces fines particules sont invisibles, qui frappent par leur éclat. Chaque tronc est ainsi interrompu, à intervalles sensiblement égaux, par une série de bagues douteuses (qui ne sont pas sans rappeler l'original), donnant à toute cette portion de forêt « en profondeur » l'aspect d'un quadrillage.*

A portée de la main, tout près de la rive méridionale les branches du reflet se raccordent à de vieilles feuilles immergées, rousses mais encore entières, dont la dentelure* intacte se détache sur le fond de vase — des feuilles de chêne.

Un personnage, qui marche sans faire aucun bruit sur le tapis d'humus, est apparu sur la droite, se dirigeant vers l'eau. Il s'avance jusqu'au bord et s'arrête. Comme il a le soleil juste dans les yeux, il doit faire un pas de côté pour se protéger la vue.

Il aperçoit alors la surface rayée de la mare. Mais, pour lui, le reflet des troncs se confond avec leur ombre — partiellement du moins, car les arbres qu'il a devant soi ne sont pas bien rectilignes. Le contrejour* continue d'ailleurs à l'empêcher de rien distinguer de net. Et il n'y a sans doute pas de feuilles de chêne à ses pieds.

C'était là le but de sa promenade. Ou bien s'aperçoit-il, à ce moment, qu'il s'est trompé de route? Après quelques regards incertains aux alentours, il s'en retourne vers l'est à travers bois, toujours silencieux, par le chemin qu'il avait pris pour venir.

De nouveau la scène est vide. Sur la gauche, le soleil est toujours à la même hauteur; la lumière n'a pas changé. En face, les fûts droits et lisses se reflètent dans l'eau sans ride, perpendiculairement aux rayons du couchant.

Au fond des bandes d'ombre, resplendit l'image tronçonnée des colonnes, inverse et noire, miraculeusement lavée.

© Nouvelle Revue Française, 1ᵉʳ avril 1954 (2ᵉ année No. 16), Gallimard

NOTES

page 170 ventru – *dished*
l'anse – *the handle*
l'ourlet extérieure d'une oreille – *the outer rim of an ear*
le trumeau de cheminée – *the mantel-shelf*
un étroit montant – *a narrow pillar; a narrow upright*
Les trois vantaux – *the three leaves of the door*
le brise-bise – *the window curtain*

page 171 les essayages – *the fittings*
une chouette – *a screech-owl*
l'écorce – *the bark*

page 172 un alinéa – *a paragraph*
le répétiteur – *the assistant teacher*
l'étudiant scrutait à nouveau les feuilles basses – *the student once again scanned the lower leaves*
le pantin de papier – *the paper puppet*

page 174 par surcroît – *into the bargain*
Neckar – *a river which flows through Heidelberg*
censés – *supposed*
la boulette de buvard – *the pellet of blotting-paper*
lors du soulèvement – *at the time of the revolt*

page 175 fatidique – *fateful*
un feutrage – *a felt*
fait de brindilles – *made up of twigs*
En haut des fûts – *Above the boles of the trees*

M

page 175 graines vidées – *empty husks*
page 176 ces raies – *these streaks; these lines*
       flou – *hazy*
       Les rais de soleil qui hachurent tout le miroir – *The sunbeams*
         which throw their beams of light all over the mirror
       un quadrillage – *a pattern of squares; a chequered pattern*
       la dentelure – *the veins*
       Le contre-jour – *the unfavourable light; looking into the sun*

Jean-Paul Sartre

Jean-Paul Sartre was born in Paris on June 21st, 1905. His father was a naval officer who was killed in Cochin China while his son was still an infant. After this tragedy, his mother went to live with her parents, and Jean-Paul was brought up under the influence of his grandfather, a professor at the Sorbonne; these formative years in a bourgeois milieu were to exert a very strong influence on Sartre's work, an influence which he acknowledges in his autobiographical work, *Les Mots* (1963). When Jean-Paul was eleven years old, his mother remarried and moved to La Rochelle where her new husband was superintendent of the naval dockyard. For a little time her son remained in Paris in the care of his uncle, but in 1917 he joined his mother and step-father. He now attended the *Lycée de la Rochelle* where he passed the *baccalauréat*. He proceeded to the *Ecole Normale Supérieure* where he first met Simone de Beauvoir. In 1928 he attempted the *agrégation* only to fail; vowing to head the pass list, he re-entered the following year and succeeded in achieving his ambition. He now took up a teaching position in Le Havre which was to become the town of Bouville in *La Nausée* (1938); this was his first published novel, although he had previously written *Défaite* for which he was unable to find a publisher, and had published some philosophical works. His next book was *Le Mur* (1939), a collection of short stories, which, taken together with *La Nausée*, gave him a *succès d'estime* which no doubt eased his path when he sought a teaching post in Paris.

The advent of the Second World War saw him in the field serving as a meteorologist until he was captured by the Germans. After some time as a prisoner of war, he passed himself off as a civilian and managed to be repatriated on medical grounds, whereupon he joined the Resistance movement in Paris. He now published *L'Etre et le néant* (1943) in which he outlined the existentialist philosophy which was to become associated with his name. His play, *Les Mouches*, presented in the same year was a popularisation of his ideas presented through the medium of a well-known classical legend; this play was also seen as a patriotic gesture directed against the German occupying forces. Immediately after the war he published the first two volumes of *Les Chemins de la Liberté*, *L'Age de raison* and *Le Sursis* (1945), and three more plays, *Huis Clos* (1944), *Morts sans sépulture* (1946) and *La Putain respectueuse* (1946). He also founded a review, *Les Temps modernes*, with which he has continued his association until the present day, and a political party, the *Rassemblement Démocratique Révolutionnaire*, which was not successful. He has never been afraid of controversy, and he found it with such subjects as his *Réflexions sur la question juive* (1947) and *Saint-Genêt, comédien et martyr* (1952), and in his attitude to the Algerian question. He seems to have abandoned the novel after the appearance of *La Mort dans l'âme* (1949), the third volume of *Les Chemins de la Liberté*; fragments of the projected fourth and last volume, *Drôle d'Amitié*, were published in *Les Temps modernes* in 1949 in such a way as to suggest that it will never be finished. The stage became his chosen vehicle for the popularisation of his existentialist philosophy, and plays such as *Les Mains Sales* (1948), *Le Diable et le Bon Dieu* (1951), *Kean* (1953), *Nekrassov* (1955), *Les Séquestrés d'Altona* (1960) and *Les Troyennes* (1966) have revealed him as a major dramatist. He is, however, much more concerned to be *engagé* and to confront day-to-day problems, as seen in his work with *Les Temps modernes* and in the collections of articles published as *Situations I–VII*; it would be quite consistent with his ideas if he ceased to produce any more serious work, and indeed his dramatic output has lessened over the years. He has shown himself prepared to rethink his philosophy to some extent in *La Critique de la raison dialectique*; is brutally frank in the autobiographical *Les Mots*; caused something of a sensation by refusing the Nobel Prize for literature in 1964 on the grounds that he could not accept a prize founded and endowed by the inventor of dynamite; and acted as president of the Bertrand Russell War Crimes Tribunal which in 1967 arraigned the United States for the conduct of the war in Vietnam. More recently he has joined the editorial board of *La Cause du Peuple* and has stood on a barrel outside the Renault factory in order to express his point of view to the working class, but he has still retained his literary interests, publishing *L'Idiot de la famille*, a study of Flaubert, in 1971.

Le Mur

par JEAN-PAUL SARTRE

On nous poussa dans une grande salle blanche, et mes yeux se mirent à
cligner parce que la lumière leur faisait mal. Ensuite, je vis une table et
quatre types derrière la table, des civils, qui regardaient des papiers.
On avait massé les autres prisonniers dans le fond et il nous fallut
traverser toute la pièce pour les rejoindre. Il y en avait plusieurs que
je connaissais et d'autres qui devaient être étrangers. Les deux qui
étaient devant moi étaient blonds avec des crânes ronds; ils se ressem-
blaient: des Français, j'imagine. Le plus petit remontait tout le temps
son pantalon: c'était nerveux.

Ça dura près de trois heures; j'étais abruti *et j'avais la tête vide;
mais la pièce était bien chauffée et je trouvais ça plutôt agréable: depuis
vingt-quatre heures, nous n'avions pas cessé de grelotter.* Les gardiens
amenaient les prisonniers l'un après l'autre devant la table. Les quatre
types leur demandaient alors leur nom et leur profession. La plupart
du temps ils n'allaient pas plus loin — ou bien alors ils posaient une
question par-ci, par-là: « As-tu pris part au sabotage des munitions? »
Ou bien: « Où étais-tu le matin du 9 et que faisais-tu? » Ils n'écoutaient
pas les réponses ou du moins ils n'en avaient pas l'air: ils se taisaient un
moment et regardaient droit devant eux puis ils se mettaient à écrire.
Ils demandèrent à Tom si c'était vrai qu'il servait dans la Brigade
internationale: Tom ne pouvait pas dire le contraire à cause des papiers
qu'on avait trouvés dans sa veste. A Juan ils ne demandèrent rien, mais,
après qu'il eut dit son nom, ils écrivirent longtemps.

— C'est mon frère José qui est anarchiste, dit Juan. Vous savez bien
qu'il n'est plus ici. Moi je ne suis d'aucun parti, je n'ai jamais fait de
politique.

Ils ne répondirent pas. Juan dit encore:

— Je n'ai rien fait. Je ne veux pas payer pour les autres.

Ses lèvres tremblaient. Un gardien le fit taire et l'emmena. C'était
mon tour:

— Vous vous appelez Pablo Ibbieta?

Je dis que oui.

Le type regarda ses papiers et me dit:

— Où est Ramon Gris?

— Je ne sais pas.

— Vous l'avez caché dans votre maison du 6 au 19.

— Non.

Ils écrivirent un moment et les gardiens me firent sortir. Dans le couloir Tom et Juan attendaient entre deux gardiens. Nous nous mîmes en marche. Tom demanda à un des gardiens:

— Et alors?

— Quoi? dit le gardien.

— C'est un interrogatoire ou un jugement?

— C'était le jugement, dit le gardien.

— Eh bien? Qu'est-ce qu'ils vont faire de nous?

Le gardien répondit sèchement:

— On vous communiquera la sentence dans vos cellules.

En fait, ce qui nous servait de cellule c'était une des caves de l'hôpital. Il y faisait terriblement froid à cause des courants d'air. Toute la nuit nous avions grelotté et pendant la journée ça n'avait guère mieux été. Les cinq jours précédents je les avais passés dans un cachot de l'archevêché, une espèce d'oubliette* qui devait dater du moyen âge: comme il y avait beaucoup de prisonniers et peu de place, on les casait* n'importe où. Je ne regrettais pas mon cachot: je n'y avais pas souffert du froid mais j'y étais seul; à la longue c'est irritant.* Dans la cave j'avais de la compagnie. Juan ne parlait guère: il avait peur et puis il était trop jeune pour avoir son mot à dire. Mais Tom était beau parleur et il savait très bien l'espagnol.

Dans la cave il y avait un banc et quatre paillasses. Quand ils nous eurent ramenés, nous nous assîmes et nous attendîmes en silence. Tom dit, au bout d'un moment:

— Nous sommes foutus.*

— Je le pense aussi, dis-je, mais je crois qu'ils ne feront rien au petit.

— Ils n'ont rien à lui reprocher, dit Tom. C'est le frère d'un militant, voilà tout.

Je regardai Juan: il n'avait pas l'air d'entendre. Tom reprit:

— Tu sais ce qu'ils font à Saragosse? Ils couchent les types sur la route et ils leur passent dessus avec des camions. C'est un Marocain déserteur qui nous l'a dit. Ils disent que c'est pour économiser les munitions.

— Ça n'économise pas l'essence, dis-je.

J'étais irrité contre Tom : il n'aurait pas dû dire ça.

— Il y a des officiers qui se promènent sur la route, poursuivit-il, et qui surveillent ça, les mains dans les poches, en fumant des cigarettes. Tu crois qu'ils achèveraient les types ? Je t'en fous.* Ils les laissent gueuler.* Des fois pendant une heure. Le Marocain disait que, la première fois, il a manqué dégueuler.*

— Je ne crois pas qu'ils fassent ça ici, dis-je. A moins qu'ils ne manquent vraiment de munitions.

Le jour entrait par quatre soupiraux* et par une ouverture ronde qu'on avait pratiquée* au plafond, sur la gauche, et qui donnait sur le ciel. C'est par ce trou rond ordinairement fermé par une trappe, qu'on déchargeait le charbon dans la cave. Juste au-dessous du trou il y avait un gros tas de poussier*; il avait été destiné à chauffer l'hôpital, mais, dès le début de la guerre, on avait évacué les malades et le charbon restait là, inutilisé; il pleuvait même dessus, à l'occasion, parce qu'on avait oublié de baisser la trappe.

Tom se mit à grelotter :

— Sacré nom de Dieu, je grelotte, dit-il, voilà que ça recommence.

Il se leva et se mit à faire de la gymnastique. A chaque mouvement sa chemise s'ouvrait sur sa poitrine blanche et velue. Il s'étendit sur le dos, leva les jambes en l'air et fit les ciseaux : je voyais trembler sa grosse croupe. Tom était costaud* mais il avait trop de graisse. Je pensais que des balles de fusil ou des pointes de baïonnettes allaient bientôt s'enfoncer dans cette masse de chair tendre comme dans une motte* de beurre. Ça ne me faisait pas le même effet que s'il avait été maigre.

Je n'avais pas exactement froid, mais je ne sentais plus mes épaules ni mes bras. De temps en temps, j'avais l'impression qu'il me manquait quelque chose et je commençais à chercher ma veste autour de moi, et puis je me rappelais brusquement qu'ils ne m'avaient pas donné de veste. C'était plutôt pénible. Ils avaient pris nos vêtements pour les donner à leurs soldats et ils ne nous avaient laissé que nos chemises — et ces pantalons de toile que les malades hospitalisés portaient au gros* de l'été. Au bout d'un moment, Tom se releva et s'assit près de moi en soufflant.

— Tu es réchauffé?

— Sacré nom de Dieu, non. Mais je suis essoufflé.

Vers huit heures du soir, un commandant entra avec deux phalangistes.* Il avait une feuille de papier à la main. Il demanda au gardien :

— Comment s'appellent-ils, ces trois-là?

— Steinbock, Ibbieta et Mirbal, dit le gardien.

Le commandant mit ses lorgnons et regarda sa liste :

— Steinbock... Steinbock... Voilà. Vous êtes condamné à mort. Vous serez fusillé demain matin.

Il regarda encore :

— Les deux autres aussi, dit-il.

— C'est pas possible, dit Juan. Pas moi.

Le commandant le regarda d'un air étonné :

— Comment vous appelez-vous?

— Juan Mirbal, dit-il.

— Eh bien, votre nom est là, dit le commandant, vous êtes condamné.

— J'ai rien fait, dit Juan.

Le commandant haussa les épaules et se tourna vers Tom et vers moi.

— Vous êtes Basques?

— Personne n'est Basque.

Il eut l'air agacé.

— On m'a dit qu'il y avait trois Basques. Je ne vais pas perdre mon temps à leur courir après. Alors naturellement vous ne voulez pas de prêtre?

Nous ne répondîmes même pas. Il dit :

— Un médecin belge viendra tout à l'heure. Il a l'autorisation de passer la nuit avec vous.

Il fit le salut militaire et sortit.

— Qu'est-ce que je te disais, dit Tom. On est bons.*

— Oui, dis-je, c'est vache* pour le petit.

Je disais ça pour être juste mais je n'aimais pas le petit. Il avait un visage trop fin et la peur, la souffrance l'avaient défiguré, elles avaient tordu tous ses traits. Trois jours auparavant, c'était un môme* dans le genre mièvre,* ça peut plaire; mais maintenant il avait l'air d'une vieille tapette,* et je pensais qu'il ne redeviendrait plus jamais jeune, même si on le relâchait. Ça n'aurait pas été mauvais d'avoir un peu de pitié à lui offrir, mais la pitié me dégoûte, il me faisait plutôt horreur.

Il n'avait plus rien dit mais il était devenu gris: son visage et ses mains étaient gris. Il se rassit et regarda le sol avec des yeux ronds. Tom était une bonne âme, il voulut lui prendre le bras, mais le petit se dégagea violemment en faisant une grimace.

— Laisse-le, dis-je à voix basse, tu vois bien qu'il va se mettre à chialer.*

Tom obéit à regret; il aurait aimé consoler le petit; ça l'aurait occupé et il n'aurait pas été tenté de penser à lui-même. Mais ça m'agaçait: je n'avais jamais pensé à la mort parce que l'occasion ne s'en était pas présentée, mais maintenant l'occasion était là et il n'y avait pas autre chose à faire que de penser à ça.

Tom se mit à parler:
— Tu as bousillé* des types, toi? me demanda-t-il.

Je ne répondis pas. Il commença à m'expliquer qu'il en avait bousillé six depuis le début du mois d'août: il ne se rendait pas compte de la situation, et je voyais bien qu'il ne *voulait* pas s'en rendre compte. Moi-même je ne réalisais pas encore tout à fait, je me demandais si on souffrait beaucoup, je pensais aux balles, j'imaginais leur grêle brûlante à travers mon corps. Tout ça c'était en dehors de la véritable question; mais j'étais tranquille: nous avions toute la nuit pour comprendre. Au bout d'un moment Tom cessa de parler et je le regardai du coin de l'œil; je vis qu'il était devenu gris, lui aussi, et qu'il avait l'air misérable, je me dis: « Ça commence.» Il faisait presque nuit, une lueur terne filtrait à travers les soupiraux et le tas de charbon, et faisait une grosse tache sous le ciel; par le trou du plafond je voyais déjà une étoile: la nuit serait pure et glacée.

La porte s'ouvrit, et deux gardiens entrèrent. Ils étaient suivis d'un homme blond qui portait un uniforme belge. Il nous salua:

« Je suis médecin, dit-il. J'ai l'autorisation de vous assister en ces pénibles circonstances. »

Il avait une voix agréable et distinguée. Je lui dis
— Qu'est-ce que vous venez faire ici?
— Je me mets à votre disposition. Je ferai tout mon possible pour que ces quelques heures vous soient moins lourdes.
— Pourquoi êtes-vous venu chez nous? Il y a d'autres types, l'hôpital en est plein.
— On m'a envoyé ici, répondit-il d'un air vague.

« Ah! vous aimeriez fumer, hein? ajouta-t-il précipitamment. J'ai des cigarettes et même des cigares. »

Il nous offrit des cigarettes anglaises et des puros,* mais nous refusâmes. Je le regardai dans les yeux, et il parut gêné. Je lui dis:

— Vous ne venez pas ici par compassion. D'ailleurs je vous connais. Je vous ai vu avec des fascistes dans la cour de la caserne, le jour où on m'a arrêté.

J'allais continuer, mais tout d'un coup il m'arriva quelque chose qui me surprit: la présence de ce médecin cessa brusquement de m'intéresser. D'ordinaire, quand je suis sur un homme je ne le lâche pas. Et pourtant l'envie de parler me quitta; je haussai les épaules et je détournai les yeux. Un peu plus tard, je levai la tête: il m'observait d'un air curieux. Les gardiens s'étaient assis sur une paillasse. Pedro, le grand maigre, se tournait les pouces, l'autre agitait de temps en temps la tête pour s'empêcher de dormir.

— Voulez-vous de la lumière? dit soudain Pedro au médecin. L'autre fit « oui » de la tête: je pense qu'il avait à peu près autant d'intelligence qu'une bûche, mais sans doute n'était-il pas méchant. A regarder ses gros yeux bleus et froids, il me sembla qu'il péchait surtout par défaut d'imagination. Pedro sortit et revint avec une lampe à pétrole qu'il posa sur le coin du banc. Elle éclairait mal, mais c'était mieux que rien: la veille on nous avait laissés dans le noir. Je regardai un bon moment le rond de lumière que la lampe faisait au plafond. J'étais fasciné. Et puis, brusquement, je me réveillai, le rond de lumière s'effaça, et je me sentis écrasé sous un poids énorme. Ce n'était pas la pensée de la mort, ni la crainte: c'était anonyme. Les pommettes me brûlaient et j'avais mal au crâne.

Je me secouai et regardai mes deux compagnons. Tom avait enfoui sa tête dans ses mains, je ne voyais que sa nuque grasse et blanche. Le petit Juan était de beaucoup le plus mal en point, il avait la bouche ouverte et ses narines tremblaient. Le médecin s'approcha de lui et lui posa la main sur l'épaule comme pour le réconforter: mais ses yeux restaient froids. Puis je vis la main du Belge descendre sournoisement le long du bras de Juan jusqu'au poignet. Juan se laissait faire avec indifférence. Le Belge lui prit le poignet entre trois doigts, avec un air distrait, en même temps il recula un peu et s'arrangea pour me tourner le dos. Mais je me penchai en arrière et je le vis tirer sa montre et la con-

sulter un instant sans lâcher le poignet du petit. Au bout d'un moment, il
laissa retomber la main inerte et alla s'adosser au mur, puis, comme s'il
se rappelait soudain quelque chose de très important qu'il fallait noter
sur-le-champ, il prit un carnet dans sa poche et y inscrivit quelques
lignes. « Le salaud, pensai-je avec colère, qu'il ne vienne pas me tâter le
pouls, je lui enverrai mon poing dans sa sale gueule. »

Il ne vint pas, mais je sentis qu'il me regardait. Je levai la tête et lui
rendis son regard. Il me dit d'une voix impersonnelle :

— Vous ne trouvez pas qu'on grelotte ici ?

Il avait l'air d'avoir froid ; il était violet.

— Je n'ai pas froid, lui répondis-je.

Il ne cessait pas de me regarder, d'un œil dur. Brusquement je compris et je portai mes mains à ma figure : j'étais trempé de sueur. Dans
cette cave, au gros de l'hiver, en plein courant d'air, je suais. Je passai
les doigts dans mes cheveux qui étaient feutrés* par la transpiration ; en
même temps, je m'aperçus que ma chemise était humide et collait
à ma peau : je ruisselais depuis une heure au moins et je n'avais rien
senti. Mais ça n'avait pas échappé au cochon de Belge ; il avait vu les
gouttes rouler sur mes joues et il avait pensé : c'est la manifestation
d'un état de terreur quasi pathologique ; et il s'était senti normal et
fier de l'être parce qu'il avait froid. Je voulus me lever pour aller lui
casser la figure, mais à peine avais-je ébauché* un geste que ma honte
et ma colère furent effacées ; je retombai sur le banc avec indifférence.

Je me contentai de me frictionner le cou avec mon mouchoir parce
que, maintenant, je sentais la sueur qui gouttait de mes cheveux sur
ma nuque et c'était désagréable. Je renonçai d'ailleurs bientôt à me
frictionner, c'était inutile : déjà mon mouchoir était bon à tordre, et je
suais toujours. Je suais aussi des fesses et mon pantalon humide adhérait
au banc.

Le petit Juan parla tout à coup.

— Vous êtes médecin ?

— Oui, dit le Belge.

— Est-ce qu'on souffre... longtemps ?

— Oh ! Quand...? Mais non, dit le Belge d'une voix paternelle,
c'est vite fini.

Il avait l'air de rassurer un malade payant.

— Mais je... on m'avait dit... qu'il fallait souvent deux salves.

— Quelquefois, dit le Belge en 'hochant la tête. Il peut se faire que la première salve n'atteigne aucun des organes vitaux.

— Alors il faut qu'ils rechargent les fusils et qu'ils visent de nouveau?

Il réfléchit et ajouta d'une voix enrouée:*

— Ça prend du temps!

Il avait une peur affreuse de souffrir, il ne pensait qu'à ça: c'était de son âge. Moi je n'y pensais plus beaucoup et ce n'était pas la crainte de souffrir qui me faisait transpirer.

Je me levai et je marchai jusqu'au tas de poussier. Tom sursauta et me jeta un regard haineux: je l'agaçais parce que mes souliers craquaient. Je me demandais si j'avais le visage aussi terreux que lui: je vis qu'il suait aussi. Le ciel était superbe, aucune lumière ne se glissait dans ce coin sombre, et je n'avais qu'à lever la tête pour apercevoir la grande Ourse. Mais ça n'était plus comme auparavant: l'avant-veille, de mon cachot de l'archevêché, je pouvais voir un grand morceau de ciel et chaque heure du jour me rappelait un souvenir différent. Le matin quand le ciel était d'un bleu dur et léger, je pensais à des plages au bord de l'Atlantique; à midi je voyais le soleil et je me rappelais un bar de Séville où je buvais du manzanilla* en mangeant des anchois et des olives; l'après-midi j'étais à l'ombre et je pensais à l'ombre profonde qui s'étend sur la moitié des arènes pendant que l'autre moitié scintille au soleil: c'était vraiment pénible de voir ainsi toute la terre se refléter dans le ciel. Mais à présent je pouvais regarder en l'air tant que je voulais, le ciel ne m'évoquait plus rien. J'aimais mieux ça. Je revins m'asseoir près de Tom. Un long moment passa.

Tom se mit à parler, d'une voix basse. Il fallait toujours qu'il parlât, sans ça il ne se reconnaissait pas bien dans ses pensées. Je pense que c'était à moi qu'il s'adressait mais il ne me regardait pas. Sans doute avait-il peur de me voir comme j'étais, gris et suant: nous étions pareils et pires que des miroirs l'un pour l'autre. Il regardait le Belge, le vivant.

— Tu comprends, toi? disait-il. Moi, je comprends pas.

Je me mis aussi à parler à voix basse. Je regardais le Belge.

— Quoi, qu'est-ce qu'il y a?

— Il va nous arriver quelque chose que je ne peux pas comprendre.

Il y avait une étrange odeur autour de Tom. Il me sembla que j'étais plus sensible aux odeurs qu'à l'ordinaire. Je ricanai:*

— Tu comprendras tout à l'heure.

— Ça n'est pas clair, dit-il d'un air obstiné. Je veux bien avoir du courage, mais il faudrait au moins que je sache... Écoute, on va nous amener dans la cour. Les types vont se ranger devant nous. Combien seront-ils?

— Je ne sais pas. Cinq ou huit. Pas plus.

— Ça va. Ils seront huit. On leur criera: « En joue* », et je verrai les huit fusils braqués* sur moi. Je pense que je voudrai rentrer dans le mur, je pousserai le mur avec le dos de toutes mes forces, et le mur résistera, comme dans les cauchemars. Tout ça je peux me l'imaginer. Ah! Si tu savais comme je peux me l'imaginer.

— Ça va! lui dis-je, je me l'imagine aussi.

— Ça doit faire un mal de chien. Tu sais qu'ils visent les yeux et la bouche pour défigurer, ajouta-t-il méchamment. Je sens déjà les blessures; depuis une heure j'ai des douleurs dans la tête et dans le cou. Pas de vraies douleurs; c'est pis: ce sont les douleurs que je sentirai demain matin. Mais après?

Je comprenais très bien ce qu'il voulait dire, mais je ne voulais pas en avoir l'air. Quant aux douleurs, moi aussi je les portais dans mon corps, comme une foule de petites balafres.* Je ne pouvais pas m'y faire*, mais j'étais comme lui, je n'y attachais pas d'importance.

— Après, dis-je rudement, tu boufferas du pissenlit.*

Il se mit à parler pour lui seul: il ne lâchait pas des yeux le Belge. Celui-ci n'avait pas l'air d'écouter. Je savais ce qu'il était venu faire; ce que nous pensions ne l'intéressait pas; il était venu regarder nos corps, des corps qui agonisaient tout vifs.

— C'est comme dans les cauchemars, disait Tom. On veut penser à quelque chose, on a tout le temps l'impression que ça y est, qu'on va comprendre et puis ça glisse, ça vous échappe et ça retombe. Je me dis: après, il n'y aura plus rien. Mais je ne comprends pas ce que ça veut dire. Il y a des moments où j'y arrive presque... et puis ça retombe, je recommence à penser aux douleurs, aux balles, aux détonations. Je suis matérialiste, je te le jure; je ne deviens pas fou. Mais il y a quelque chose qui ne va pas. Je vois mon cadavre: ça n'est pas difficile mais c'est *moi* qui le vois, avec *mes* yeux. Il faudrait que j'arrive à penser... à penser que je ne verrai plus rien, que je n'entendrai plus rien et que le monde continuera pour les autres. On n'est pas faits pour penser ça,

Pablo. Tu peux me croire : ça m'est déjà arrivé de veiller toute une nuit en attendant quelque chose. Mais cette chose-là, ça n'est pas pareil : ça nous prendra par-derrière, Pablo, et nous n'aurons pas pu nous y préparer.

— La ferme, lui dis-je,* veux-tu que j'appelle un confesseur?

Il ne répondit pas. J'avais déjà remarqué qu'il avait tendance à faire le prophète et à m'appeler Pablo en parlant d'une voix blanche.* Je n'aimais pas beaucoup ça : mais il paraît que tous les Irlandais sont ainsi. J'avais l'impression vague qu'il sentait l'urine. Au fond je n'avais pas beaucoup de sympathie pour Tom et je ne voyais pas pourquoi, sous prétexte que nous allions mourir ensemble, j'aurais dû en avoir davantage. Il y a des types avec qui ç'aurait été différent. Avec Ramon Gris, par exemple. Mais, entre Tom et Juan, je me sentais seul. D'ailleurs, j'aimais mieux ça : avec Ramon je me serais peut-être attendri. Mais j'étais terriblement dur, à ce moment-là, et je voulais rester dur.

Il continua à mâchonner* des mots, avec une espèce de distraction. Il parlait sûrement pour s'empêcher de penser. Il sentait l'urine à plein nez comme les vieux prostatiques.* Naturellement j'étais de son avis, tout ce qu'il disait j'aurais pu le dire : ça n'est pas *naturel* de mourir. Et, depuis que j'allais mourir, plus rien ne me semblait naturel, ni ce tas de poussier, ni le banc, ni la sale gueule de Pedro. Seulement, ça me déplaisait de penser les mêmes choses que Tom. Et je savais bien que, tout au long de la nuit, à cinq minutes près, nous continuerions à penser les choses en même temps, à suer ou à frissonner en même temps. Je le regardai de côté et, pour la première fois, il me parut étrange : il portait sa mort sur sa figure. J'étais blessé dans mon orgueil : pendant vingt-quatre heures, j'avais vécu aux côtés de Tom, je l'avais écouté, je lui avais parlé, et je savais que nous n'avions rien de commun. Et maintenant nous nous ressemblions comme des frères jumeaux, simplement parce que nous allions crever* ensemble. Tom me prit la main sans me regarder :

— Pablo, je me demande... je me demande si c'est bien vrai qu'on s'anéantit.*

Je dégageai ma main, je lui dis :

— Regarde entre tes pieds, salaud.

Il y avait une flaque entre ses pieds, et des gouttes tombaient de son pantalon.

— Qu'est-ce que c'est? dit-il avec effarement.*

— Tu pisses dans ta culotte, lui dis-je.

— C'est pas vrai, dit-il furieux, je ne pisse pas, je ne sens rien.

Le Belge s'était approché. Il demanda avec une fausse sollicitude:

— Vous vous sentez souffrant?

Tom ne répondit pas. Le Belge regarda la flaque sans rien dire.

— Je ne sais pas ce que c'est, dit Tom d'un ton farouche, mais je n'ai pas peur. Je vous jure que je n'ai pas peur.

Le Belge ne répondit pas. Tom se leva et alla pisser dans un coin. Il revint en boutonnant sa braguette,* se rassit et ne souffla plus mot. Le Belge prenait des notes.

Nous le regardions tous les trois parce qu'il était vivant. Il avait les gestes d'un vivant, les soucis d'un vivant; il grelottait dans cette cave, comme devaient grelotter les vivants; il avait un corps obéissant et bien nourri. Nous autres nous ne sentions plus guère nos corps — plus de la même façon, en tout cas. J'avais envie de tâter mon pantalon, entre mes jambes, mais je n'osais pas; je regardais le Belge, arqué sur ses jambes, maître de ses muscles — et qui pouvait penser à demain. Nous étions là, trois ombres privées de sang; nous le regardions et nous sucions sa vie comme des vampires.

Il finit par s'approcher du petit Juan. Voulut-il lui tâter la nuque pour quelque motif professionnel ou bien obéit-il à une impulsion charitable? S'il agit par charité ce fut la seule et unique fois de toute la nuit. Il caressa le crâne et le cou du petit Juan. Le petit se laissait faire, sans le quitter des yeux, puis, tout à coup, il lui saisit la main et la regarda d'un drôle d'air. Il tenait la main du Belge entre les deux siennes, et elles n'avaient rien de plaisant, les deux pinces grises qui serraient, cette main grasse et rougeaude.* Je me doutais bien de ce qui allait arriver et Tom devait s'en douter aussi: mais le Belge n'y voyait que du feu, il souriait paternellement. Au bout d'un moment, le petit porta la grosse patte rouge à sa bouche et voulut la mordre.* Le Belge se dégagea vivement et recula jusqu'au mur en trébuchant.* Pendant une seconde il nous regarda avec horreur, il devait comprendre tout d'un coup que nous n'étions pas des hommes comme lui. Je me mis à rire, et l'un des gardiens sursauta. L'autre s'était endormi, ses yeux, grands ouverts, étaient blancs.

Je me sentais las et surexcité, à la fois. Je ne voulais plus penser à ce qui arriverait à l'aube, à la mort. Ça ne rimait à rien*, je ne rencontrais que des mots ou du vide. Mais dès que j'essayais de penser à autre chose je voyais des canons de fusil braqués sur moi. J'ai peut-être vécu vingt fois de suite mon exécution; une fois même, j'ai cru que ça y était pour de bon: j'avais dû m'endormir une minute. Ils me traînaient vers le mur, et je me débattais*; je leur demandais pardon. Je me réveillai en sursaut et je regardai le Belge: j'avais peur d'avoir crié dans mon sommeil. Mais il se lissait la moustache, il n'avait rien remarqué. Si j'avais voulu, je crois que j'aurais pu dormir un moment: je veillais depuis quarante-huit heures, j'étais à bout.* Mais je n'avais pas envie de perdre deux heures de vie: ils seraient venus me réveiller à l'aube, je les aurais suivis, hébété* de sommeil, et j'aurais clamecé* sans faire 'ouf'; je ne voulais pas de ça, je ne voulais pas mourir comme une bête, je voulais comprendre. Et puis je craignais d'avoir des cauchemars. Je me levai, je me promenai de long en large et, pour me changer les idées, je me mis à penser à ma vie passée. Une foule de souvenirs me revinrent, pêle-mêle. Il y en avait de bons et de mauvais — ou du moins je les appelais comme ça *avant*. Il y avait des visages et des histoires. Je revis le visage d'un petit novillero* qui s'était fait encorner* à Valence pendant la Feria,* celui d'un de mes oncles, celui de Ramon Gris. Je me rappelai des histoires: comment j'avais chômé* pendant trois mois en 1926, comment j'avais manqué crever de faim. Je me souvins d'une nuit que j'avais passée sur un banc à Grenade: je n'avais pas mangé depuis trois jours, j'étais enragé, je ne voulais pas crever. Ça me fit sourire. Avec quelle âpreté, je courais après le bonheur, après les femmes, après la liberté. Pour quoi faire? J'avais voulu libérer l'Espagne j'admirais Pi y Margall, j'avais adhéré au mouvement anarchiste, j'avais parlé dans des réunions publiques: je prenais tout au sérieux, comme si j'avais été immortel.

A ce moment-là, j'eus l'impression que je tenais toute ma vie devant moi et je pensai: «C'est un sacré mensonge.» Elle ne valait rien puisqu'-elle était finie. Je me demandai comment j'avais pu me promener, rigoler avec des filles: je n'aurais pas remué le petit doigt si seulement j'avais imaginé que je mourrais comme ça. Ma vie était devant moi, close, fermée, comme un sac, et pourtant tout ce qu'il y avait dedans était inachevé. Un instant, j'essayai de la juger. J'aurais voulu me dire: c'est une belle vie. Mais on ne pouvait pas porter de jugement sur elle, c'était une ébauche; j'avais passé mon temps à tirer des traites* pour l'éternité, je n'avais rien compris. Je ne regrettais rien: il y avait des tas de choses que j'aurais pu regretter, le goût du manzanilla ou bien les bains que je prenais en été dans une petite crique près de Cadix; mais la mort avait tout désenchanté.

Le Belge eut une fameuse idée, soudain.

— Mes amis; nous dit-il, je puis me charger — sous réserve que l'administration militaire y consentira — de porter un mot de vous, un souvenir aux gens qui vous aiment...

Tom grogna:

— J'ai personne.

Je ne répondis rien. Tom attendit un instant, puis me considéra avec curiosité:

— Tu ne fais rien dire à Concha?

— Non.

Je détestais cette complicité tendre: c'était ma faute, j'avais parlé de Concha la nuit précédente, j'aurais dû me retenir. J'étais avec elle depuis un an. La veille encore, je me serais coupé un bras à coups de hache pour la revoir cinq minutes. C'est pour ça que j'en avais parlé, c'était plus fort que moi. A présent je n'avais plus envie de la revoir, je n'avais plus rien à lui dire. Je n'aurais même pas voulu la serrer dans mes bras: j'avais horreur de mon corps parce qu'il était devenu gris et qu'il suait — et je n'étais pas sûr de ne pas avoir horreur du sien. Concha pleurerait quand elle apprendrait ma mort; pendant des mois, elle n'aurait plus de goût à vivre. Mais tout de même c'était moi qui allais mourir. Je pensai à ses beaux yeux tendres. Quand elle me regardait, quelque chose passait d'elle à moi. Mais je pensai que c'était fini: si elle me regardait *à présent* son regard resterait dans ses yeux, il n'irait pas jusqu'à moi. J'étais seul.

Tom aussi était seul, mais pas de la même manière. Il s'était assis à califourchon* et il s'était mis à regarder le banc avec une espèce de sourire, il avait l'air étonné. Il avança la main et toucha le bois avec précaution, comme s'il avait peur de casser quelque chose, ensuite il retira vivement sa main et frissonna. Je ne me serais pas amusé à toucher le banc, si j'avais été Tom; c'était encore de la comédie d'Irlandais, mais je trouvais aussi que les objets avaient un drôle d'air: ils étaient plus effacés, moins denses qu'à l'ordinaire. Il suffisait que je regarde le banc, la lampe, le tas de poussier, pour que je sente que j'allais mourir. Naturellement, je ne pouvais pas clairement penser à ma mort, mais je la voyais partout, sur les choses, dans la façon dont les choses avaient reculé et se tenaient à distance, discrètement, comme des gens qui parlent bas au chevet d'un mourant. C'était *sa* mort que Tom venait de toucher sur le banc.

Dans l'état où j'étais, si l'on était venu m'annoncer que je pouvais rentrer tranquillement chez moi, qu'on me laissait la vie sauve, ça m'aurait laissé froid: quelques heures ou quelques années d'attente c'est tout pareil, quand on a perdu l'illusion d'être éternel. Je ne tenais plus à rien, en un sens, j'étais calme. Mais c'était un calme horrible — à cause de mon corps: mon corps, je voyais avec ses yeux, j'entendais avec ses oreilles, mais ça n'était plus moi; il suait et tremblait tout seul, et je ne le reconnaissais plus. J'étais obligé de le toucher et de le regarder pour savoir ce qu'il devenait, comme si ç'avait été le corps d'un autre. Par moments, je le sentais encore, je sentais des glissements,* des espèces de dégringolades,* comme lorsqu'on est dans un avion qui pique* du nez, ou bien je sentais battre mon cœur. Mais ça ne me rassurait pas: tout ce qui venait de mon corps avait un sale air louche. La plupart du temps, il se taisait, il se tenait coi,* et je ne sentais plus rien qu'une espèce de pesanteur, une présence immonde contre moi; j'avais l'impression d'être lié à une vermine énorme. A un moment, je tâtai mon pantalon et je sentis qu'il était humide; je ne savais pas s'il était mouillé de sueur ou d'urine, mais j'allai pisser sur le tas de charbon, par précaution.

Le Belge tira sa montre et la regarda. Il dit:

— Il est trois heures et demie.

Le salaud! Il avait dû le faire exprès. Tom sauta en l'air: nous ne nous étions pas encore aperçus que le temps s'écoulait; la nuit nous entourait comme une masse informe et sombre, je ne me rappelais même plus qu'elle avait commencé.

Le petit Juan se mit à crier. Il se tordait les mains, il suppliait:

— Je ne veux pas mourir, je ne veux pas mourir.

Il courut à travers toute la cave en levant les bras en l'air, puis il s'abattit sur une des paillasses et sanglota. Tom le regardait avec des yeux mornes et n'avait même plus envie de le consoler. Par le fait ce n'était pas la peine: le petit faisait plus de bruit que nous, mais il était moins atteint: il était comme un malade qui se défend contre son mal par de la fièvre. Quand il n'y a même plus de fièvre, c'est beaucoup plus grave.

Il pleurait: je voyais bien qu'il avait pitié de lui-même; il ne pensait pas à la mort. Une seconde, une seule seconde, j'eus envie de pleurer moi aussi, de pleurer de pitié sur moi. Mais ce fut le contraire qui arriva: je jetai un coup d'œil sur le petit, je vis ses maigres épaules sanglotantes et je me sentis inhumain: je ne pouvais avoir pitié ni des autres ni de moi-même. Je me dis: « Je veux mourir proprement. »

Tom s'était levé, il se plaça juste en dessous de l'ouverture ronde et se mit à guetter le jour. Moi j'étais buté,* je voulais mourir proprement et je ne pensais qu'à ça. Mais, par en dessous, depuis que le médecin nous avait dit l'heure, je sentais le temps qui filait, qui coulait goutte à goutte.

Il faisait encore noir quand j'entendis la voix de Tom:

— Tu les entends.

— Oui.

Des types marchaient dans la cour.

— Qu'est-ce qu'ils viennent foutre?* Ils ne peuvent pourtant pas tirer dans le noir.

Au bout d'un moment nous n'entendîmes plus rien. Je dis à Tom:

— Voilà le jour.

Pedro se leva en bâillant et vint souffler la lampe. Il dit à son copain:

— Mince* de froid.

La cave était devenue toute grise. Nous entendîmes des coups de feu dans le lointain.

— Ça commence, dis-je à Tom, ils doivent faire ça dans la cour de derrière.

Tom demanda au médecin de lui donner une cigarette. Moi je n'en voulais pas; je ne voulais ni cigarettes ni alcool. A partir de cet instant, ils ne cessèrent pas de tirer.

— Tu te rends compte? dit Tom.

Il voulait ajouter quelque chose mais il se tut, il regardait la porte. La porte s'ouvrit, et un lieutenant entra avec quatre soldats. Tom laissa tomber sa cigarette.

— Steinbock?

Tom ne répondit pas. Ce fut Pedro qui le désigna.

— Juan Mirbal?

— C'est celui qui est sur la paillasse.

— Levez-vous, dit le lieutenant.

Juan ne bougea pas. Deux soldats le prirent aux aisselles et le mirent sur ses pieds. Mais dès qu'ils l'eurent lâché il retomba.

Les soldats hésitèrent.

— Ce n'est pas le premier qui se trouve mal, dit le lieutenant, vous n'avez qu'à le porter, vous deux; on s'arrangera là-bas.

Il se tourna vers Tom:

— Allons, venez.

Tom sortit entre deux soldats. Deux autres soldats suivaient, ils portaient le petit par les aisselles et par les jarrets. Il n'était pas évanoui; il avait les yeux grands ouverts, et des larmes coulaient le long de ses joues. Quand je voulus sortir, le lieutenant m'arrêta:

— C'est vous, Ibbieta?

— Oui.

— Vous allez attendre ici: on viendra vous chercher tout à l'heure.

Ils sortirent. Le Belge et les deux geôliers sortirent aussi, je restai seul. Je ne comprenais pas ce qui m'arrivait, mais j'aurais mieux aimé qu'ils en finissent tout de suite. J'entendais les salves à intervalles presque réguliers; à chacune d'elles, je tressaillais.* J'avais envie de hurler et de m'arracher les cheveux. Mais je serrais les dents et j'enfonçais les mains dans mes poches parce que je voulais rester propre.

Au bout d'une heure, on vint me chercher et on me conduisit au premier étage, dans une petite pièce qui sentait le cigare et dont la chaleur me parut suffocante. Il y avait là deux officiers qui fumaient assis dans des fauteuils, avec des papiers sur leurs genoux.

— Tu t'appelles Ibbieta?

— Oui.

— Où est Ramon Gris?

— Je ne sais pas.

Celui qui m'interrogeait était petit et gros. Il avait des yeux durs derrière ses lorgnons. Il me dit:

— Approche.

Je m'approchai. Il se leva et me prit par les bras en me regardant d'un air à me faire rentrer sous terre. En même temps, il me pinçait les biceps de toutes ses forces. Ça n'était pas pour me faire mal, c'était le grand jeu: il voulait me dominer. Il jugeait nécessaire aussi de m'envoyer son souffle pourri en pleine figure. Nous restâmes un moment comme ça, moi ça me donnait plutôt envie de rire. Il en faut beaucoup plus pour intimider un homme qui va mourir: ça ne prenait pas. Il me repoussa violemment et se rassit. Il dit:

— C'est ta vie contre la sienne. On te laisse la vie sauve si tu nous dis où il est.

Ces deux types chamarrés* avec leurs cravaches* et leurs bottes, c'étaient tout de même des hommes qui allaient mourir. Un peu plus tard que moi, mais pas beaucoup plus. Et ils s'occupaient à chercher des noms sur leurs paperasses,* ils couraient après d'autres hommes pour les emprisonner ou les supprimer; ils avaient des opinions sur l'avenir de l'Espagne et sur d'autres sujets. Leurs petites activités me paraissaient choquantes et burlesques: je n'arrivais plus à me mettre à leur place, il me semblait qu'ils étaient fous.

Le petit gros me regardait toujours, en fouettant ses bottes de sa cravache. Tous ses gestes étaient calculés pour lui donner l'allure d'une bête vive et féroce.

— Alors? C'est compris?

— Je ne sais pas où est Gris, répondis-je. Je croyais qu'il était à Madrid.

L'autre officier leva sa main pâle avec indolence. Cette indolence aussi était calculée. Je voyais tous leurs petits manèges et j'étais stupéfait qu'il se trouvât des hommes pour s'amuser à ça.

— Vous avez un quart d'heure pour réfléchir, dit-il lentement. Emmenez-le à la lingerie, vous le ramènerez dans un quart d'heure. S'il persiste à refuser, on l'exécutera sur-le-champ.

Ils savaient ce qu'ils faisaient: j'avais passé la nuit dans l'attente; après ça, ils m'avaient encore fait attendre une heure dans la cave, pendant qu'on fusillait Tom et Juan et maintenant ils m'enfermaient dans la lingerie; ils avaient dû préparer leur coup depuis la veille. Ils se disaient que les nerfs s'usent à la longue et ils espéraient m'avoir comme ça.

Ils se trompaient bien. Dans la lingerie, je m'assis sur un escabeau,* parce que je me sentais très faible et je me mis à réfléchir. Mais pas à leur proposition. Naturellement je savais où était Gris: il se cachait chez ses cousins, à quatre kilomètres de la ville. Je savais aussi que je ne révélerais pas sa cachette, sauf s'ils me torturaient (mais ils n'avaient pas l'air d'y songer). Tout cela était parfaitement réglé, définitif et ne m'intéressait nullement. Seulement j'aurais voulu comprendre les raisons de ma conduite. Je préférais plutôt crever que de livrer Gris. Pourquoi? Je n'aimais plus Ramon Gris. Mon amitié pour lui était morte un peu avant l'aube en même temps que mon amour pour Concha, en même temps que mon désir de vivre. Sans doute je l'estimais toujours; c'était un dur. Mais ça n'était pas pour cette raison que j'acceptais de mourir à sa place; sa vie n'avait pas plus de valeur que la mienne; aucune vie n'avait de valeur. On allait coller un homme contre un mur et lui tirer dessus jusqu'à ce qu'il en crève: que ce fût moi ou Gris ou un autre c'était pareil. Je savais bien qu'il était plus utile que moi à la cause de l'Espagne, mais je me foutais de l'Espagne et de l'anarchie: rien n'avait plus d'importance. Et pourtant j'étais là, je pouvais sauver ma peau en livrant Gris et je me refusais à le faire. Je trouvais ça plutôt comique: c'était de l'obstination. Je pensai:

« Faut-il être têtu!* » Et une drôle de gaieté m'envahit.

Ils vinrent me chercher et me ramenèrent auprès des deux officiers. Un rat partit sous nos pieds et ça m'amusa. Je me tournai vers un des phalangistes et je lui dis:

— Vous avez vu le rat?

Il ne répondit pas. Il était sombre, il se prenait au sérieux. Moi j'avais envie de rire mais je me retenais parce que j'avais peur, si je commençais, de ne plus pouvoir m'arrêter. Le phalangiste portait des moustaches. Je lui dis encore:

— Il faut couper tes moustaches, ballot.*

Je trouvais drôle qu'il laissât de son vivant les poils envahir sa figure. Il me donna un coup de pied sans grande conviction, et je me tus.

— Eh bien, dit le gros officier, tu as réfléchi?

Je les regardai avec curiosité comme des insectes d'une espèce très rare. Je leur dis:

— Je sais où il est. Il est caché dans le cimetière. Dans un caveau ou dans la cabane des fossoyeurs.

C'était pour leur faire une farce. Je voulais les voir se lever, boucler leurs ceinturons et donner des ordres d'un air affairé.

Ils sautèrent sur leurs pieds.

— Allons-y. Moles, allez demander quinze hommes au lieutenant

Lopez. Toi, me dit le petit gros, si tu as dit la vérité, je n'ai qu'une parole. Mais tu le paieras cher si tu t'es fichu* de nous.

Ils partirent dans un brouhaha, et j'attendis paisiblement sous la garde des phalangistes. De temps en temps, je souriais parce que je pensais à la tete qu'ils allaient faire. Je me sentais abruti et malicieux. Je les imaginais, soulevant les pierres tombales, ouvrant une à une les portes des caveaux. Je me représentais la situation comme si j'avais été un autre : ce prisonnier obstiné à faire le héros, ces graves phalangistes avec leurs moustaches et ces hommes en uniforme qui couraient entre les tombes ; c'était d'un comique irrésistible.

Au bout d'une demi-heure le petit gros revint seul. Je pensai qu'il venait donner l'ordre de m'exécuter. Les autres devaient être restés au cimetière.

L'officier me regarda. Il n'avait pas du tout l'air penaud.*

— Emmenez-le dans la grande cour avec les autres, dit-il. A la fin des opérations militaires, un tribunal régulier décidera de son sort.

Je crus que je n'avais pas compris. Je lui demandai :

— Alors on ne me... on ne me fusillera pas ?...

— Pas maintenant en tout cas. Après, ça ne me regarde plus.

Je ne comprenais toujours pas. Je lui dis :

— Mais pourquoi ?

Il haussa les épaules sans répondre, et les soldats m'emmenèrent. Dans la grande cour il y avait une centaine de prisonniers, des femmes, des enfants, quelques vieillards. Je me mis à tourner autour de la pelouse centrale, j'étais hébété. A midi, on nous fit manger au réfectoire. Deux ou trois types m'interpellèrent. Je devais les connaître, mais je ne leur répondis pas : je ne savais même plus où j'étais.

Vers le soir, on poussa dans la cour une dizaine de prisonniers nouveaux. Je reconnus Garcia, le boulanger. Il me dit :

— Sacré veinard ! Je ne pensais pas te revoir vivant.

— Ils m'avaient condamné à mort, dis-je, et puis ils ont changé d'idée. Je ne sais pas pourquoi.

— Ils m'ont arrêté à deux heures, dit Garcia.

— Pourquoi ?

Garcia ne faisait pas de politique.

— Je ne sais pas, dit-il. Ils arrêtent tous ceux qui ne pensent pas comme eux.

Il baissa la voix.

— Ils ont eu Gris.

Je me mis à trembler.

— Quand?

— Ce matin. Il avait fait le con.* Il a quitté son cousin mardi parce qu'ils avaient eu des mots. Il ne manquait pas de types qui l'auraient caché, mais il ne voulait plus rien devoir à personne. Il a dit: « Je me serais caché chez Ibbieta, mais puisqu'ils l'ont pris j'irai me cacher au cimetière. »

— Au cimetière?

— Oui. C'était con.* Naturellement, ils y ont passé ce matin, ça devait arriver. Ils l'ont trouvé dans la cabane des fossoyeurs. Il leur a tiré dessus, et ils l'ont descendu.

— Au cimetière!

Tout se mit à tourner et je me retrouvai assis par terre: je riais si fort que les larmes me vinrent aux yeux.

© Gallimard 1937

NOTES

page 181 abruti – *stupefied*
grelotter – *to shiver*
page 182 une espèce d'oubliette – *a kind of dungeon*
on les casait n'importe où – *they were pushing them in anywhere*
à la longue c'est irritant – *it gets on one's nerves in the end; it gets you down in the end*
Nous sommes foutus – *We're done for*
page 183 Je t'en fous. Ils les laissent gueuler – *Don't kid yourself. They let them scream their heads off*
il a manqué dégueuler – *he almost vomited*
quatre soupiraux – *four vents*
une ouverture ronde qu'on avait pratiquée au plafond – *a round opening that had been cut in the ceiling*
un gros tas de poussier – *a great heap of slack*

page 183 costaud – *hefty*
une motte de beurre – *a lump of butter*
au gros de l'été – *at the height of summer*

page 184 deux phalangistes – *two members of the Falange, the Spanish Fascist party*
On est bons – *We've had it. A popular usage of a plural agreement although the subject is technically singular*
c'est vache pour le petit – *it's rough on the kid*
c'était un môme dans le genre mièvre – *he was a delicate-looking sort of kid*
une vieille tapette – *a gossipy old woman; a pansy*

page 185 chialer – *to cry*
Tu as bousillé des types, toi? – *Have you killed any men?*

page 186 des puros – *cigars*

page 187 feutrés par la transpiration – *covered in sweat*
mais à peine avais-je ébauché un geste – *but hardly had I begun to move*

page 188 une voix enrouée – *a horse voice*
du manzanilla – *pale dry sherry*
Je ricanai – *I sneered*

page 189 'En joue' – '*Aim*'
je verrai les huit fusils braqués sur moi – *I shall see the eight rifles aimed at me*
Une foule de petites balafres – *a collection of little scars*
Je ne pouvais pas m'y faire – *I couldn't become accustomed to them*
tu boufferas du pissenlit – *you'll be pushing up the daisies*

page 190 La ferme, lui dis-je – *Shut up, I told him. An example of the misplacement of the direct object in popular speech*
une voix blanche – *a toneless voice*
mâchonner – *to mutter*
les vieux prostatiques – *old men suffering from prostate-gland trouble*
crever – *to die*
je me demande si c'est bien vrai qu'on s'anéantit – *I wonder if it's really true that one melts into thin air*

page 191 avec effarement – *in alarm*
sa braguette – *his trouser-fly*

page 191 rougeaude – *reddish*
          voulut la mordre – *tried to bite it*
          en trébuchant – *stumbling*

page 192 Ça ne rimait à rien – *There was no rhyme nor reason in it*
          je me débattais – *I was struggling*
          j'étais à bout – *I was worn out; I was at the end of my tether*
          hébété – *dozy*
          j'aurais clamecé – *I should have died*
          un petit novillero – *an apprentice bull-fighter. They are norm-*
             ally only allowed to fight bulls under two years old
          encorner – *to toss*
          la Feria – *the Carnival*
          j'avais chômé – *I was out of work*

page 193 tirer des traites – *sketching out drafts*
          à califourchon – *astride*

page 194 je sentais des glissements, des espèces de dégringolades,
          comme lorsqu'on est dans un avion qui pique du nez – *I*
          felt side-slips, various sorts of toppling, as you do in a plane
          making a nose-dive
          il se tenait coi – *it was lying low*

page 195 Moi j'étais buté – *I was being stubborn (cussed)*
          Qu'est-ce qu'ils viennent foutre? – *a vulgarism* — *What are*
          they coming for?
          Mince de froid – *It's beastly cold*

page 196 je tressaillais – *I started*

page 197 Ces deux types chamarrés avec leurs cravaches et leurs bottes
          – *Those two fellows bedecked in their riding-crops and boots*
          leurs paperasses – *their official papers*
          un escabeau – *a stool*

page 198 têtu – *stubborn*
          ballot – *fat-head*

page 199 Mais tu le paieras cher si tu t'es fichu de nous – *But you'll pay*
          dearly for it if you're making a fool of us
          Il n'avait pas du tout l'air penaud – *He didn't look a bit crest-*
          fallen

page 200 Il avait fait le con – *a vulgarism* — *He played the fool*
          C'était con – *a vulgarism* — *It was idiotic*